As Cruzadas

THOMAS ASBRIDGE

Vitória no Oriente

ns

São Paulo, 2021

Vitória no Oriente
The Crusades – The War for the Holy Land
Copyright © Thomas Asbridge, 2010
Copyright © 2021 by Novo Século Editora Ltda.

EDITOR: Luiz Vasconcelos
COORDENAÇÃO EDITORIAL: Nair Ferraz • Vitor Donofrio • João Paulo Putini
TRADUÇÃO: Johann Heyss • Valter Lellis Siqueira
PREPARAÇÃO: Samuel Vidilli
REVISÃO: Agnaldo Alves • Manoela Alves
DIAGRAMAÇÃO: Vitor Donofrio
CAPA: Ygor Moretti

Texto de acordo com as normas do Novo Acordo Ortográfico
da Língua Portuguesa (1990), em vigor desde 1º de janeiro de 2009

Dados Internacionais de Catalogação na Publicação (CIP)
Angélica Ilacqua CRB-8/7057

Asbridge, Thomas
Vitória no Oriente
Thomas Asbridge ; tradução de Johann Heyss, Valter Lellis Siqueira
Barueri, SP: Novo Século Editora, 2021.
96 p.; il. (As Cruzadas ; vol 5)

Bibliografia
ISBN 978-65-5561-291-2

Título Original: The Crusades : The War for the Holy Land

1. Cruzadas 2. Cristianismo e outras religiões 3. História da Igreja - 600-1500 – Idade Média 4. Oriente Médio – História 5. Europa – História da Igreja I. Título II. Heyss, Johann III. Siqueira, Valter Lellis IV. Série

21-3680	CDD-909.07

Índice para catálogo sistemático:
1. Cruzadas

---

ns
uma marca do
grupo novo século

Alameda Araguaia, 2190 – Bloco A – 11º andar – Conjunto 1111
CEP 06455-000 – Alphaville Industrial, Barueri – SP – Brasil
Tel.: (11) 3699-7107 | Fax: (11) 3699-7323
www.gruponovoseculo.com.br | atendimento@gruponovoseculo.com.br

V. VITÓRIA NO ORIENTE

SUMÁRIO

PARTE V: VITÓRIA NO ORIENTE
22 O Leão do Egito 7
23 A Terra Santa reclamada 35

CONCLUSÃO – O legado das cruzadas 55

Agradecimentos 81
Cronologia 83

NOTAS 87

22. O LEÃO DO EGITO

Por mais de um século e meio depois da morte de Saladino, em 1193, os membros de sua dinastia aiúbida dominaram o Islã do Oriente Próximo. Saladino havia levado a condenação e a derrota aos francos cristãos que moravam no Levante, reconquistando Jerusalém e rechaçando a Terceira Cruzada de Ricardo Coração de Leão. Mas envolvidos em suas mesquinhas rivalidades, mais tarde os aiúbidas mostraram-se dispostos a viver em relativa paz com os remanescentes estados cristãos. E com os muçulmanos e cristãos dispostos a manter laços comerciais mutuamente proveitosos, a negociação, a acomodação e a trégua tornaram-se ordem do dia. Os governantes islâmicos de Damasco, Cairo e Alepo ainda se proclamavam campeões da *jihad*, mas sua luta tornou-se interna, a ser expressa em obras de purificação espiritual e patrocínio religioso. Em vez de abraçar a forma militarista externa, travando a guerra santa, os aiúbidas buscavam, no geral, limitar o conflito – sempre conscientes de que a agressão poderia provocar uma cruzada perigosa e desordenada da Europa Ocidental.

Este *modus vivendi* de delicado equilíbrio seria dramaticamente derrubado quando duas superpotências orientais – os mamelucos e os mongóis – ganharam proeminência no Levante. Cada uma delas contava com temorosa força militar, ao contrário de qualquer outra coisa testemunhada na idade das cruzadas, e seu impacto monumental reformulou o destino da Terra Santa e a história das cruzadas. Obscurecido para esses dois enormes monstros, o Ultramar latino tornou-se o terceiro, por vezes quase incidental, desafiante da luta pelo domínio do Oriente.

NOVAS FORÇAS NO ORIENTE PRÓXIMO

Uma nova dinastia islâmica – o sultanato mameluco –, governado por membros dessa elite militar (soldados escravos), tomou o poder no Egito na esteira da cruzada fracassada do rei Luís IX da França. Uma luta pelo poder intrincada e brutal atormentou toda a década de 1250, à medida que os líderes mamelucos procuravam derrubar os últimos vestígios da autoridade aiúbida na região do Nilo. A elite do regimento Bahriyya foi forçada a fugir do Egito em 1254, quando seu comandante Aqtay foi assassinado pelo feroz senhor da guerra Qutuz, ponta de lança de uma facção mameluca rival. Três anos depois, Shajar al-Durr – viúva do último grande sultão aiúbida al-Salih – foi executada, e Qutuz gradativamente assumiu o controle do Egito, enquanto ainda governava em nome do jovem sultão-títere al-Mansur Ali.

Enquanto isso, os soldados Bahriyya foram exilados sob a liderança de Baybars – um dos conspiradores no assassinato, em 1250, de Turanshah, o herdeiro aiúbida. Nascido por volta de 1221, Baybars era um turco alto e de pele escura, oriundo do grupo quipchaque, o forte e belicoso povo das estepes russas, conhecidos no mundo antigo como cumanos. Dizem que ele possuía uma voz notoriamente poderosa, mas sua característica mais marcante estava em seus olhos azuis, um dos quais exibia uma pequena, embora visível, mancha branca do tamanho da cabeça de um alfinete. Levado como escravo com catorze anos de idade, Baybars começou o treinamento como mameluco e, assim, passou pelas mãos de diversos donos antes de eventualmente ser recrutado para o novo regimento Bahriyya de al-Salih em 1246. Ali, sua habilidade marcial e de liderança logo foi reconhecida, e ele lutou contra os cruzados do rei Luís IX na Batalha de Mansura em 1250.

De meados para o final da década de 1250, Baybars e o Bahriyya serviram a uma sucessão de emires aiúbidas ineficientes que tentavam desesperadamente se agarrar ao poder na Síria, Palestina e Transjordânia. Entre eles estava al-Nasir Yusuf, o governante nominal de Alepo e Damasco – um emir nascido numa linhagem nobre, sendo neto de Saladino, mas singularmente incapaz de enfrentar os violentos desafios desta era turbulenta de lealdades oscilantes e potências mundiais emergentes.

Durante este período, Baybars aprimorou suas habilidades como comandante militar, conseguindo um certo número de sucessos impressionantes, mas também sofrendo algumas derrotas humilhantes. Nisso tudo, ele foi muito apoiado por um amigo mameluco e por Qalawun, outro turco quipchaque e talvez seu mais próximo amigo e companheiro de armas. Com um olho sempre atento para os eventos no Egito, Baybars tentou duas vezes invadir a região do Nilo e depor Qutuz, mas, superado pesadamente em termos numéricos, mostrou-se incapaz de obter uma vitória significativa.

Em 1259, Baybars já havia se mostrado um general experiente com um apetite óbvio para o avanço, mas até então não tivera a oportunidade de realizar suas ambições ou mostrar seu evidente potencial. Essa oportunidade viria para ele e todo o regime militar mameluco com o aparecimento de uma nova e devastadora horda no Oriente Próximo muçulmano.[1]

Por volta do ano de 1206, um senhor da guerra chamado Temüjin uniu as tribos mongóis nômades da vasta área das estepes asiáticas da Mongólia e assumiu o título de Chinggis, ou Gengis Khan (literalmente "governante inflexível"). Gengis e seus seguidores eram movidos por uma fome incomensurável de guerra e acreditavam, dentro dos fundamentos de sua fé pagã, que os mongóis haviam sido destinados por um decreto divino a conquistar o mundo inteiro. Pela obstinada força de vontade, Gengis transformou as tribos mongóis feudais em um exército incontrolável, aproveitando-se da inata resistência de seu povo e suas incomparáveis habilidades como cavaleiros e arqueiros.

Nos cinquenta anos seguintes, primeiro sob Gengis Khan e depois, após sua morte em 1227, sob seus filhos, os mongóis explodiram pela face da Terra. Eram uma força sem paralelos no mundo medieval (talvez em toda a história humana). Incansáveis e totalmente intransigentes em seu tratamento da guerra, esperavam que seus inimigos mostrassem submissão imediata ou encarassem a aniquilação total. E por volta de 1250 seus domínios estendiam-se da China à Europa, do Oceano Índico às terras vazias da Sibéria. Esta expansão exponencial inevitavelmente pôs os mongóis em contato com o mundo cristão e o muçulmano.

Tendo subjugado a China, os mongóis começaram seu avanço para o oeste em 1229, esmagando os governantes islâmicos do norte do Irã – um avanço que provocou a fuga dos corásmios[a] para o norte do Iraque e acabou culminando com a invasão corásmia da Terra Santa em 1244. Entre 1236 e 1239, a horda mongol derrotou os cristãos orientais da Geórgia e da Grande Armênia; em 1243 invadiu a Ásia Menor, subjugando a dinastia turca seljúcida que havia governado a região desde o século XI. Na década de 1230, os exércitos mongóis também conquistaram as estepes ao sul da Rússia, estabelecendo uma forma de governo que ficou conhecida como a Horda Dourada. Ironicamente, isso fez que muitos dos turcos quipchaques nativos da região se tornassem refugiados. Deslocando-se para o sul, caíram nas garras dos comerciantes de escravos e assim incrementaram enormemente a disponibilidade de recrutas mamelucos para os muçulmanos do Egito.

Avançando para o Ocidente, os mongóis acabaram por encontrar os cristãos latinos da Europa, onde seu advento foi saudado com uma mistura de medo, confusão e incerteza. Notícias de que os muçulmanos do Irã tinham sido derrotados por uma força desconhecida de terras distantes do Oriente chegaram aos homens da Quinta Cruzada no Egito em 1221, fazendo muitos francos imaginarem que os mongóis poderiam, na verdade, ser valiosos aliados. A princípio, esta opinião ganhou credibilidade, pois os nebulosos orientais foram associados com a antiga lenda do Preste João – um poderoso rei cristão de uma antiga profecia: ele surgiria no Oriente na hora mais negra da cristandade para apoiá-la. Com o tempo, também ficou claro que os cristãos nestorianos (uma seita há muito estabelecida na Ásia central) haviam conseguido exercer certa influência entre os mongóis, chegando a converter as esposas de alguns dos principais senhores da guerra.

Mas a cristandade latina lentamente percebeu que os mongóis, ou tártaros, como ficaram conhecidos na Europa, não eram meramente um poder estrangeiro distante, mas uma ameaça imediata e potencialmente letal. Em 1241, o exército mongol avançou a partir da Rússia e passou

---

[a] O Império Corásmio ou Corasmo foi uma dinastia muçulmana sunita de influência persa iniciada por turcomanos de origem mameluca. (N.T.)

o ano seguinte pilhando e aterrorizando a Polônia, a Hungria e o leste da Alemanha, provocando uma destruição indescritível. Mesmo diante dessa devastadora incursão, os governantes da região – envolvidos em suas próprias disputas – demoraram a reagir, e muitos continuaram a nutrir ideias de acomodação ou aliança. A partir do final da década de 1240, o papado romano enviou duas embaixadas missionárias aos mongóis, comandadas por grupos de frades. Estes enviados francos viajaram milhares de quilômetros para visitar a extravagante corte mongol em Karakorum (na Mongólia), na esperança de converter o Grande Khan ao cristianismo; eles voltaram com um ríspido ultimato instruindo Roma a se submeter à autoridade tártara. Durante o tempo em que ficou no Chipre, Luís IX também fez contato com eles. Em 1249, enviou seus próprios representantes aos mongóis no Irã, mas quando essa embaixada retornou em 1241, encontrou Luís na Palestina, e lhe trouxe uma dura exigência: que se começasse a lhes pagar um tributo anual, que, não é necessário dizer, o rei franco ignorou.

A despeito desses intransigentes apelos à diplomacia, o Império Mongol começou efetivamente a se decompor na segunda metade do século XIII, corroído por uma luta dinástica e pelos problemas inerentes ao governo de um domínio tão imenso. Não obstante, eles continuaram a ser uma força que inspirava o pavor. Na década de 1250, o novo Grande Khan Möngke (neto de Gengis Khan) iniciou uma renovada onda de expansão pelo mundo muçulmano do Oriente Próximo e para além dele, colocando seu irmão Hulagu no comando de uma enorme horda de dezenas de milhares de guerreiros, junto com o general mongol Kitbuqa. Marchando pelo sul do Irã em 1256, este poderoso exército voltou-se para Bagdá, onde um enfraquecido membro da dinastia Abássida ainda reclamava o título de califa sunita. Em fevereiro de 1258, Hulagu esmagou Bagdá passando 30 mil muçulmanos pelo fio da espada e destruindo boa parte da outrora grande capital. Ele prosseguiu para subjugar a maior parte da Mesopotâmia, estabelecendo o que ficou conhecido como o Ilcanato Mongol da Pérsia (estendendo-se do Iraque às fronteiras da Índia). Hulagu então cruzou o Eufrates para chegar às fronteiras da Síria e da Palestina em 1259.

Não é de surpreender que a chegada dos mongóis tenha aterrorizado os povos do norte da Síria. Os cristãos continuavam a alimentar a esperança de que Hulagu poderia se revelar um aliado contra o Islã, incentivados pelo fato de que sua esposa era nestoriana. O rei Hethum, da armênia Cilícia havia se submetido ao jugo mongol já em 1246, recebendo a permissão de reter uma autoridade parcial em troca do pagamento de um tributo anual. Ele também convenceu seu genro Boemundo VI (governante do principado de Antioquia e do condado de Trípoli) a se aliar com o exército de Hulagu. Al-Nasir, o governante aiúbida de Alepo e de Damasco, também pagava tributo aos mongóis desde 1251, na esperança de impedir uma invasão direta, mas no outono de 1251, com a horda agora marchando sobre a Síria, as limitações da política de apaziguamento tornaram-se aparentes.[2]

A Batalha de Ayn Jalut

Embora o advento dos mongóis tivesse trazido pânico e caos a boa parte do Oriente Próximo muçulmano, sua chegada infundiu no mundo mameluco um novo senso de unidade e propósito. Em novembro de 1259, Qutuz usou a ameaça mongol para justificar o fato de ter derrubado do poder o jovem sultão e se proclamado novo governante do Egito. Ao mesmo tempo, o controle do poder de al-Nasir estava fraquejando. Estacionado perto de Damasco, o emir aiúbida parece ter ficado totalmente imobilizado pelo medo quando os mongóis avançaram para Alepo – com certeza, ele nada fez para reagir, enquanto torrentes de refugiados se espalhavam pelo sul da Síria até as fronteiras com a Pérsia.

No início de 1260, Hulagu sitiou Alepo com a ajuda de Hethum e Boemundo VI, e no final de fevereiro, a cidade foi capturada e submetida a uma orgia de violência de seis dias. Boemundo VI ateou fogo pessoalmente na principal mesquita da cidade e, embora mais tarde fosse excomungado pela Igreja Latina por ajudar os mongóis, o príncipe obteve significativos ganhos territoriais como resultado do pacto de 1260, incluindo a confirmação do controle franco sobre o porto de Laodiceia. Hulagu saiu de Alepo para conquistar Harim e Homs, e logo obteve o domínio total do norte da Síria. As notícias desses eventos fizeram al-Nasir fugir de Damasco, e a população da cidade preferiu se

Mamelucos e mongóis em 1260

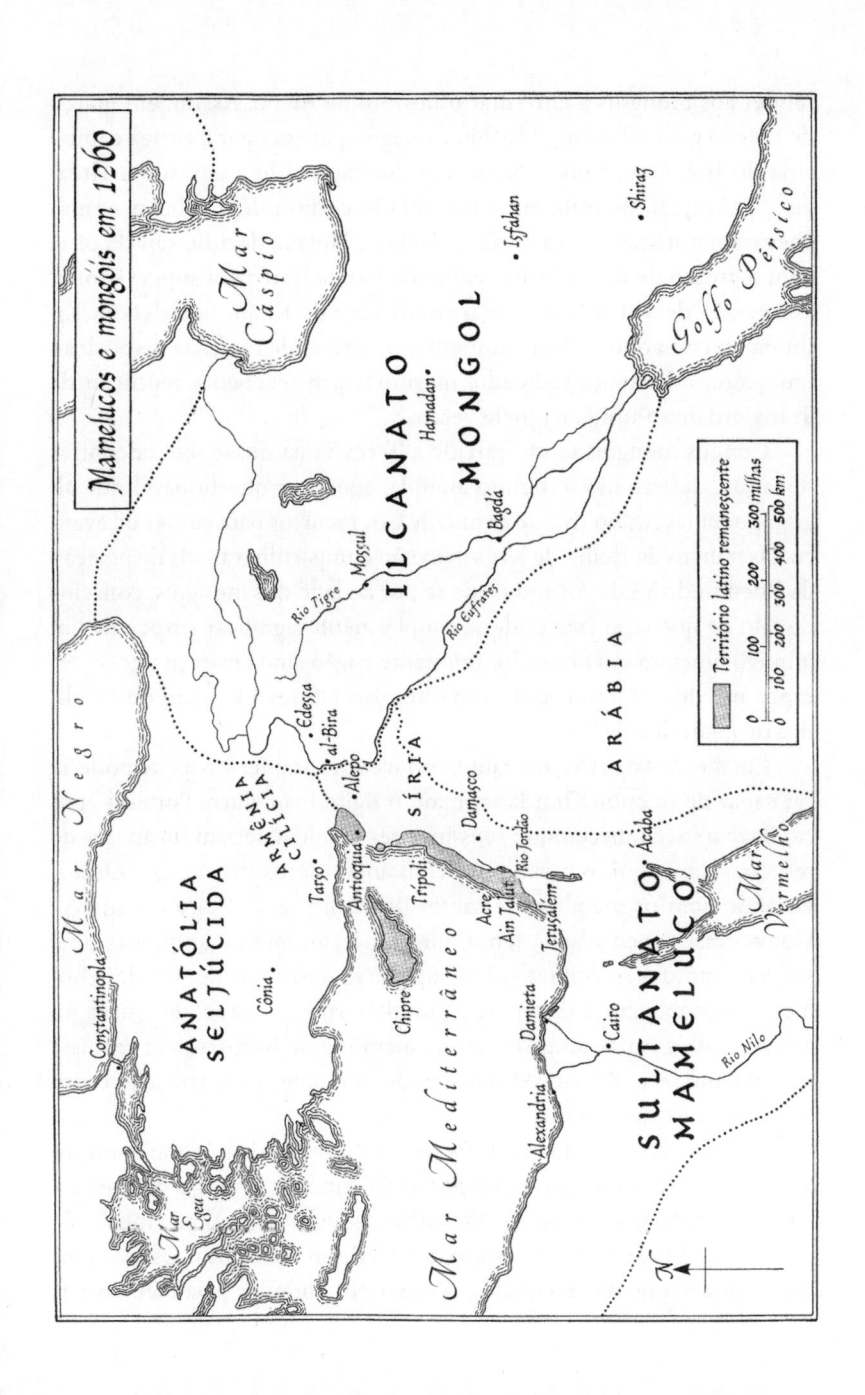

Mar Negro

Mar Cáspio

ANATÓLIA SELJÚCIDA

Constantinopla

Cônia •

ARMÊNIA CILÍCIA

Tarso •

Antioquia •

Chipre

Edessa •
al-Bira •
Alepo •

SÍRIA

Mossul •

Rio Tigre

ILCANATO
Hamadan •
MONGOL

Bagdá •

Rio Eufrates

Isfahan •

Shiraz •

Golfo Pérsico

Tripoli •
Acre •
Ain Jalut •
Jerusalém •

Damasco •

Rio Jordão

ARÁBIA

Mar Mediterrâneo

Alexandria •
Damieta •

SULTANATO
MAMELUCO

• Cairo

Rio Nilo

Ácaba •

Mar Vermelho

	Território latino remanescente
0 100 200 300 milhas	
0 100 200 300 400 500 km	

N

VITÓRIA NO ORIENTE

render aos mongóis a enfrentar o destino de Alepo. Assim, em março de 1260, o general mongol Kitbuqa chegou para ocupar a antiga capital síria do Islã. O acuado al-Nasir logo foi capturado e enviado a Hulagu – pelo qual, de momento, foi tratado como refém valioso –, mas chegaram notícias da morte de Möngke, e Hulagu decidiu sair da Síria com o grosso de seu exército, voltando para o leste para supervisionar a sucessão de seu irmão Kublai como Grande Khan. Isto deixou Kitbuqa no comando da Síria mongol que, apesar de ter à sua disposição um exército bastante reduzido, mesmo assim recebeu a rendição da Transjordânia aiúbida naquele verão.

Com os mongóis tendo varrido a Terra Santa quase sem encontrar oposição, desfazendo o mundo aiúbida, agora era questionável que algum poder levantino tivesse a vontade e os recursos para conter tal avanço. Os francos do Reino de Jerusalém não compartilhavam da disposição de Boemundo VI de Antioquia de se pôr ao lado dos mongóis, cônscios do fato de que fazer isso poderia simplesmente significar a troca de um inimigo muçulmano por outro oponente pagão ainda mais perigoso. Na esperança de evitar um confronto direto, os latinos adotaram uma política de neutralidade.[3]

Em meados de 1260, portanto, restava apenas uma força que poderia ser capaz de se opor à horda mongol: o Egito mameluco. Por esta época, Baybars reconheceu que seus mestres aiúbidas seriam incapazes de resistir aos mongóis e, assim, negociou uma reaproximação com Qutuz, viajando com os membros restantes do Bahriyya ao Cairo em março. Houve uma concordância tensa, mas uma corrente de animosidade e suspeita mútuas se agitava sob a superfície desse acordo. Os dois homens estavam cientes da ambição um do outro, e o papel de Qutuz no assassinato de Aqtay ainda estava na memória de Baybars. Um cronista muçulmano reconheceu que o profundo ódio que um nutria pelo outro ficava claro em seus olhos.

Os mamelucos agora enfrentavam uma questão definidora: confrontar ou aplacar os mongóis. Neste ponto, pelo menos, Qutuz e Baybars estavam em total concordância. No início daquele verão, uma embaixada de Hulagu chegou ao Cairo exigindo a rendição mameluca. Os enviados foram sumariamente executados, seus corpos cortados pela metade e as cabeças penduradas em um portão do Cairo. Com esta extraordinariamente desafiadora afirmação de intenção, os mamelucos foram à guerra. Em vez de esperar no Egito, na esperança de repelir uma invasão em terreno próprio, eles preferiram confrontar Kitbuqa de cabeça erguida, embora seu exército ainda estivesse enfraquecido. Se alcançasse sucesso, essa ousada estratégia prometia oferecer aos mamelucos o domínio quase total do Oriente Próximo. Mas os riscos eram colossais, pois envolviam o confronto direto com os mongóis – invencíveis até então, diante dos quais nenhum outro exército havia vencido.

Em meados do verão de 1260, os mamelucos saíram do Egito, incorporando algumas tropas muçulmanas adicionais que antes haviam servido aos aiúbidas. Baybars foi apontado comandante da vanguarda mameluca e, com Qutuz, formulou um plano de ataque. Foram feitas algumas tentativas de atrair os francos para uma aliança ativa. Eles se recusaram, apegando-se à política de neutralidade, mas permitiram que o exército muçulmano marchasse para o norte, pelo território latino, até Acre. Notícias desse avanço trouxeram Kitbuqa, então baseado em Balbeque (Líbano), para o sul, com tropas adicionais recrutadas na Geórgia, na Cilícia e na Homs muçulmana.

A grande batalha que decidiria o destino do Oriente Próximo ocorreu em Ayn Jalut, na Galileia – onde Saladino confrontou os francos em 1183. Comandando a vanguarda, Baybars encontrou o exército mongol acampado junto a este pequeno assentamento, no sopé do Monte Gilboa. Ele e Qutuz então levaram seu exército mameluco para o sudeste, descendo o vale de Jizreel e lançaram um ataque a 3 de setembro de 1260. Os exércitos em oposição parecem ter praticamente se igualado em números – algo entre dez mil a 12 mil soldados em cada lado –; assim, pelas normas da guerra medieval, ambos estavam fazendo uma aposta perigosa. Qutuz e Baybars demonstraram habilidade e bravura no comando, suportando dois enormes ataques, e, num momento-chave, os muçulmanos de Homs se posicionaram na ala esquerda dos mongóis. Isto fez que a batalha pendesse em favor dos mamelucos, que conseguiram cercar os mongóis e matar Kitbuqa. Em um dos momentos marcantes da história, a onda aparentemente incontrolável da expansão mongol foi detida pelos novos campeões do Islã.

Só um braço do grande império mongol havia sido derrotado, e o espectro da retaliação permanecia – embora incapaz de retornar ao Oriente Próximo, um Hulagu enfurecido respondeu às notícias do revés executando al-Nasir. Mas a vitória em Ayn Jalut mostrou-se decisiva para selar a futura ascendência do sultanato mameluco. Imediatamente após a batalha, Qutuz assumiu o controle de Damasco e Alepo, instalando dois de seus aliados como governadores. As ambições e expectativas de Baybars foram ignoradas por essa atitude, pois Qutuz quebrou a promessa de recompensá-lo com o governo de Alepo (talvez compreensivelmente, visto que seria loucura estabelecer um rival no poder tão longe do Egito). Juntos, o sultão e seu decepcionado general iniciaram uma triunfante viagem de volta ao Egito.[4]

Em 22 de outubro de 1260, Qutuz e seus emires estavam cruzando o deserto egípcio a caminho do Cairo quando o sultão pediu que a marcha se detivesse para que pudesse desfrutar de seu passatempo favorito – a caça à lebre. Baybars e um pequeno grupo de mamelucos concordaram em acompanhá-lo na caçada, mas assim que ficaram distantes do acampamento principal, assassinaram Qutuz. Numerosos e variados relatos do golpe sobreviveram, mas parece que Baybars pediu um favor ao sultão (provavelmente uma escrava de presente), e quando Qutuz aceitou, procurou beijar a mão do sultão. Nesse momento, Baybars agarrou os braços de Qutuz para impedi-lo de desembainhar uma arma, enquanto outro emir o feria no pescoço com a espada. Despois deste primeiro ataque, os outros conspiradores acorreram, e o sultão morreu sob uma cascata de golpes. Baybars parece ter sido o planejador do golpe, mas sua posição ainda não estava garantida. Voltando ao acampamento, um conselho de todos os principais emires mamelucos foi convocado no pavilhão real. Como todos compartilhavam de raízes turcas tribais, houve um grande consenso entre essa elite de mamelucos e a expectativa de que qualquer novo líder deveria ser escolhido entre seus pares. Para que não fosse rechaçado, Baybars declarou que, como assassino de Qutuz, ele havia conquistado o direito ao poder, enquanto adoçava seu pedido com promessas de recompensa e patrocínio para quem o apoiasse. Por estes meios – pelo sangue e a persuasão –, Baybars emergiu como o novo sultão mameluco, o homem que agora seria responsável pela liderança do Oriente Próximo muçulmano contra os mongóis e os latinos.[5]

BAYBARS E O SULTANATO MAMELUCO

No outono de 1260, Baybars estava plenamente consciente da fragilidade de seu controle do sultanato. Ele tratou rapidamente de assumir a autoridade no Cairo, ocupando a grande cidadela – sede do poder, construída por Saladino – e recompensando um amplo círculo de emires com postos e riqueza. Além disso, os mamelucos sobreviventes do Bahriyya foram escolhidos como seus guarda-costas pessoais. Seu velho quartel regimental no Nilo foi mais tarde reconstruído e posto sob o comando dos emires de maior confiança do sultão, incluindo Qalawun.

As preocupações mais urgentes de Baybars eram a legitimação de seu poder e um entrincheiramento mais amplo do poder mameluco no Egito. Mas o novo sultão também possuía a visão política e estratégica para reconhecer, e a ela se adaptar, de uma nova ordem do mundo levantino. Em décadas passadas, os líderes muçulmanos haviam buscado unir o Islã e, em alguns casos, tentado ativamente combater os francos na Terra Santa. Agora, o imperativo havia mudado e um paradigma diferente fora criado. Depois de 1260, as fronteiras críticas ficavam ao norte e a leste da Síria, de onde o grande inimigo – o império mongol – poderia buscar mais uma vez a destruição do Islã. Para combater tal ameaça, essas fronteiras precisavam ser protegidas, e o Oriente Próximo transformado em um estado unido, tal como uma fortaleza impenetrável.

Os cristãos latinos eram um segundo perigo. Geograficamente, seus assentamentos remanescentes ficavam no território sírio, libanês e palestino que Baybars agora desejava unificar e assegurar contra os mongóis. Ele avaliava acertadamente que, na esteira de reveses como a Batalha de La Forbie, os francos do Ultramar estavam efetivamente enfraquecidos. Em si mesmos, representavam pouco motivo de preocupação. Mas como aliados de uma força externa – fosse sob a forma de uma horda mongol ou de uma cruzada ocidental –, poderiam abrir uma segunda frente problemática e perturbadora nos confins do Oriente Próximo. Assim, os Estados cruzados eram incômodos enraizados que precisavam ser neutralizados.

Sabedor desses desafios, Baybars dedicou parte do início da década de 1260 a reformular radicalmente o Oriente Próximo muçulmano, fundando um regime poderoso e autoritário. Ao mesmo tempo, tratou de preparar o estado muçulmano para uma guerra – contra o inimigo mongol ou o cristão. Com estes meios, o novo sultão passou seus primeiros anos no poder preparando-se assiduamente para o que esperava ser a vitória definitiva na luta pelo controle da Terra Santa.

O protetor do Islã

A princípio, a detenção do poder por Baybars era relativamente precária: ele herdara um estado mameluco apenas parcialmente formado e estivera envolvido no assassinato dos dois sultões anteriores, Turanshah e Qutuz. Contra esse fundo relativamente maculado, uma insurreição ou um contragolpe eram ameaças, e a lealdade de seus emires mamelucos estava longe de garantida. Mas no final de 1260 o novo sultão também tratou de se beneficiar de algumas vantagens significativas. No que se seguiu à invasão mongol e à Batalha de Ayn Jalut, os vestígios remanescentes do poder aiúbida na Síria e na Palestina estavam em frangalhos, e a Terra Santa estava pronta para o domínio mameluco. Assim, em contraste com, entre outros, Nur al-Din e Saladino, que trabalharam durante décadas para unir o Oriente Próximo, Baybars foi capaz de confirmar seu controle sobre Damasco e Alepo nos primeiros anos de seu reinado, instalando governadores regionais que respondiam ao Cairo.

Além disso, Baybars conseguiu recorrer ao triunfo obtido em Ayn Jalut para legitimar sua reivindicação do poder. Apresentando-se como o salvador do Islã, fez erguer um monumento no campo de batalha e mandou demolir o túmulo de Qutuz para minimizar qualquer sugestão de que o falecido sultão tivesse desempenhado um papel "heroico" no confronto. Anos depois, o chanceler e biógrafo oficial de Baybars, Abd al-Zahir, reconfigurou a história da batalha em seu relato da vida do sultão, apresentando-a como uma vitória obtida quase exclusivamente por Baybars. O sultão também procurou promover seu próprio culto da personalidade, representado por seu leão emblemático (representando um leão caminhando para a esquerda, com uma pata dianteira levantada). Este recurso heráldico distinto foi colocado nas moedas cunhadas por Baybars e usado para marcar pontes e variados edifícios públicos construídos em seu nome. E embora seja verdade que o Estado mameluco era ameaçado por poderosas forças inimigas na década de 1260, esses perigos evidentes permitiram a Baybars pôr em prática um programa sem precedente de militarização e a gozar de uma autoridade autocrática sem comparação.[6]

Baybars fez uma série de jogadas de mestre para consolidar sua detenção do sultanado. Para firmar o novo regime mameluco no quadro da tradicional hierarquia legal e espiritual do Islã, ele reestabeleceu o califado abássida sunita. Em junho de 1261, Baybars afirmou ter encontrado um dos poucos membros sobreviventes da dinastia Abássida. A linhagem do homem foi cuidadosamente avaliada por um comitê selecionado de juristas, teólogos e emires cairotas, sendo então confirmado como o novo califa al-Mustansir. Baybars fez então um voto ritual de lealdade ao califa, com o juramento de preservar e defender a fé; de reinar com justiça, segundo a lei; de servir como protetor da ortodoxia sunita; e de lançar a *jihad* contra os inimigos do Islã. Em troca, al-Mustansir investiu Baybars como o único e todo-poderoso sultão de todo o mundo muçulmano, um ato que não apenas confirmou seus direitos ao Egito, Palestina e Síria, mas também forneceu autorização para uma intensa campanha de expansão. Numa última afirmação pública da legitimidade de seu regime, Baybars foi investido com a indumentária do sultanato: um turbante negro redondo do tipo normalmente usados pelas abássidas; uma túnica violeta; sapatos adornados com fivela de ouro; e uma espada cerimonial. Portando esses refinamentos, ele e o califa cavalgaram, numa procissão solene, pelo coração do Cairo. Deste ponto em diante, Baybars tomou o grande cuidado de endossar a autoridade califal, desde que ela não afetasse seu próprio poder. O califa e o sultão tiveram seus nomes mencionados na oração de sexta-feira; da mesma forma, as moedas cunhadas ostentavam os nomes dos dois.

Para reforçar a aura de tradição e continuidade em torno do sultanato, Baybars procurou conscientemente ligar-se a dois governantes muçulmanos. O primeiro, al-Salih Ayyub (o antigo mestre de Baybars), foi agora apresentado como o último e legítimo sultão aiúbida, com Baybars como seu herdeiro direto e por direito – uma ágil manipulação do passado que convenientemente ignorava o tumulto sangrento da década de 1250. O sultão também se modelou à imagem de Saladino, o conquistador dos francos e *mujahid* idealizado. Imitando sua afamada generosidade do defensor da fé, Baybars tratou de restaurar a agora dilapidada mesquita al-Azhar do Cairo. Além disso, ergueu uma nova mesquita no Cairo e uma *madrassa* ao lado do túmulo de al-Salih. O sultão também visitou Jerusalém e lá restaurou o Domo da Rocha e a mesquita al-Aqsa – ambos haviam sido um tanto abandonados durante o governo aiúbida. Ecos similares se fizeram presentes em medidas civis adotadas nesses primeiros anos. Mostrando-se como o arquetípico "governante justo", Baybars aboliu os tributos de guerra impostos por Qutuz, estabeleceu tribunais de justiça no Cairo e em Damasco, além de ordenar preços justos a serem pagos a mercadores por mercadorias apreendidas pelo estado. Com estes diversos meios, o sultão engendrou um amplo apoio popular entre seus súditos do Oriente Próximo, e isto ajudou a isolar sua posição contra outros desafiantes mamelucos.[7]

O poder centralizado no estado mameluco

Enquanto trabalhava para legitimar o sultanato mameluco e sua reivindicação do poder, Baybars também tomou decisões ousadas com relação à centralização governamental e administrativa. O Cairo mameluco foi transformado na capital inquestionável do Oriente Próximo muçulmano, e o ofício do sultão foi imbuído de um grau de autoridade nunca antes testemunhado pela era medieval. Em acentuado contraste com muitos de seus predecessores, Baybars monitorou cuidadosamente as finanças estatais e controlou o tesouro mameluco – medidas que lhe forneceram a riqueza para pagar pelas reformas decisivas.

Como sultão, Baybars esperava que sua vontade fosse obedecida sem hesitação em todo o mundo mameluco, e ele fez pronto uso da força direta e da propaganda para garantir a submissão e a concordância por parte dos governadores regionais. Os emires que deixassem de cumprir a ordem sumária de recrutar tropas para a guerra, por exemplo, eram suspensos pelas mãos durante três dias. Quem fosse suficientemente insensato para tentar a insurreição podia esperar uma punição sumária, com castigos que iam da cegueira ou desmembramento até a crucificação. Como outros governantes antes dele – inclusive Nur al-Din e Saladino –, Baybars usou o temor da ameaça externa para justificar seu comportamento autocrático, mas nova ênfase foi dada aos mongóis como principais inimigos do estado. Assim, quando o sultão desejou remover o insignificante principezinho aiúbida al-Mughith do poder na Transjordânia em 1263, acusações de associação com o ilcanato da Pérsia foram levantadas, e supostas cartas de Hulagu para al-Mughith, apresentadas como prova. Mas além da fraude e da brutalidade, a verdadeira pedra angular da autoridade de Baybars no Oriente Próximo era a comunicação. Ele foi o primeiro muçulmano, na Idade Média, a ter a tarefa de governar um império panlevantino a partir do Egito, pois fez enormes investimentos em redes de distribuição de mensagens. Muitos séculos antes, os bizantinos e os primeiros abássidas haviam feito uso de uma estrutura postal baseada em mensageiros, mas depois disso ela caiu em desuso. Baybars tinha seu próprio *barid*, ou sistema postal, usando mudas de mensageiros a cavalo, escolhidos a dedo e bem recompensados por sua confiabilidade. Mudando de montaria em postos cuidadosamente mantidos e posicionados ao longo das rotas-chave do reino mameluco, esses homens podiam rotineiramente levar uma mensagem de Damasco ao Cairo em quatro dias, ou três em caso de emergência. O uso do *barid* limitava-se estritamente ao sultão, as cartas eram sempre trazidas diretamente a Baybars, não importa o que ele estivesse fazendo – numa ocasião, ele chegou a receber um mensageiro enquanto estava no banho. Para garantir a transferência fluida e rápida de informações, as principais estradas e pontes eram cuidadosamente mantidas, e o *barid* também era complementado por pombos-correios e um sistema de fogueiras sinalizadoras. Esta organização notável (e admitidamente dispendiosa) permitiu que Baybars mantivesse contato com os mais distantes rincões do estado mameluco – em particular as fronteiras norte e leste com os mongóis – e significou que ele podia reagir a ameaças militares e à desordem civil numa velocidade sem precedente.[8]

Aliado à marca de governo particularmente potente e cheia de energia de Baybars, esse conjunto de reformas práticas e administrativas serviu para consolidar o estado mameluco e cimentar o poder "real" em meados da década de 1260. Contudo, o regime de Baybars não deixava de ter suas falhas. O sucesso desta maneira de governar intensamente centralizada dependia enormemente das qualidades e habilidades pessoais do sultão, e isto levantava óbvias dúvidas se seria possível passá-las prontamente a um sucessor. Buscando anular a noção de que um sultão mameluco deveria ser eleito, Baybars tentou lanças os alicerces de sua própria dinastia familiar em agosto de 1264 ao apontar Baraka, seu filho de quatro anos de idade, como cogovernante. Dada a ênfase no mérito, e não na herança, entre a elite mameluca, seria preciso esperar para ver se seu plano se concretizaria.

Baybars também estabeleceu uma associação potencialmente perturbadora com o *sufi* (homem santo) místico Khadir al-Miharani nesses primeiros anos. Suposto profeta, mas visto por muitos da corte mameluca como uma fraude, Khadir tornou-se amigo de Baybars em 1263, durante uma das visitas do sultão à Palestina. Impressionado pelas previsões do *sufi* de numerosas futuras conquistas mamelucas (muitas das quais mais tarde se concretizaram), Baybars logo o recompensou com propriedades no Cairo, Jerusalém e Damasco. Khadir obteve acesso irrestrito ao círculo íntimo do sultão e dizia-se que estava familiarizado com os assuntos de estado, para a mortificação dos principais lugares-tenentes mamelucos de Baybars. Esta estranha relação sugere que até um déspota frio como Baybars podia ser seduzido pela bajulação – sendo também uma fissura em suas defesas que, com o tempo, teria que ser selada.

A diplomacia mameluca

Considerando-se o tempo e os recursos que Baybars gastou no Levante muçulmano construindo seu estado mameluco no início dos anos 1260 – e o estridente militarismo evidente no final de sua carreira –, seria fácil imaginar que o sultão teria adotado uma abordagem insular do mundo exterior, desprezando a diplomacia. Na verdade, ele foi um ativo e apto ator na cena internacional. Baybars usava a negociação para buscar seus objetivos interligados: impedir qualquer possibilidade de uma aliança entre o Ocidente latino e os mongóis; semear a dissensão entre as fileiras mongóis para incentivar a rivalidade entre a Horda Dourada e o ilcanato persa; e manter acesso a pronto suprimento de escravos recrutados nas estepes russas.

Em seu primeiro ano no poder, Baybars estabeleceu contato com o falecido filho bastardo do imperador Frederico II, o rei Manfredo da Sicília (1258-66). Procurando perpetuar a tradição de relações estreitas entre o Egito e os Hohenstaufen, bem como de apoiar as políticas antipapais de Manfredo, o sultão despachou enviados para a corte siciliana com presentes exóticos, incluindo um grupo de prisioneiros mongóis, completado com seus cavalos e armas – um testemunho de sua arruinada reputação de invencibilidade. Depois da morte de Manfredo, Baybars renovou contato com seu rival e sucessor, Charles de Anjou, o cobiçoso irmão do rei Luís IX da França.

O sultão também abriu canais de negociação com a Horda Dourada em 1261. O governante mongol dessa região, Berke Khan (1257-66), havia se convertido ao Islã e agora estava engajado numa acalorada luta pelo poder com o ilcanato da Pérsia. Baybars elogiou a afiliação religiosa de Berke incluindo seu nome nas orações de sexta-feira em Meca, Medina e Jerusalém, e estabelecendo relações equitativas, manteve o acesso aos mercados de escravos das estepes na Horda Dourada e garantindo as fronteiras norte do sultanato mameluco com a Ásia Menor. Para garantir a passagem segura e eficiente de escravos quipchaques do Mar Negro para o Egito, o sultão também forjou pactos com os genoveses – os principais transportadores de carga escrava na bacia do Mediterrâneo. Esses mercadores italianos haviam recentemente perdido a chamada "Guerra de São Sabas" – uma luta de dois anos com Veneza pela preeminência econômica e política em Acre e na Palestina. Quando esta irascível guerra civil terminou com a derrota dos genoveses em 1258, eles se relocaram em Tiro e, ao longo da década de 1260 e depois dela, ficaram muito satisfeitos por comercializaram com os mamelucos. Para garantir que os navios genoveses continuassem a gozar de livre acesso ao Estreito de Bósforo, Baybars estabeleceu contatos adicionais com o recém-reinstalado imperador bizantino Miguel VIII Paleólogo, que havia retornado a Constantinopla em 1261 com o colapso final da România latina.[9]

Para um mameluco familiarizado com a arte da guerra, e não com as intrigas da política e da corte, o sultão Baybars controlava essa intrincada rede de interesses diplomáticos com mão surpreendentemente hábil e segura – enquanto manobrava para isolar o ilcanato mongol e o Ultramar latino.

Aperfeiçoando a máquina militar mameluca

Entre 1260 e 1265, Baybars esteve fenomenalmente ativo nos campos da diplomacia e da administração do estado. Mas sempre atento à necessidade de empreender urgentes e amplos preparativos para a guerra, ele simultaneamente colocou o estado mameluco na rota para a militarização. O objetivo subjacente do sultão era empreender a *jihad* contra os mongóis e os francos levantinos – obtendo vitórias que concretizariam sua posição e reputação, conseguindo conquistas que garantiriam o domínio muçulmano sobre o Levante.

Desde o início, o trabalho andou rápido para fortalecer as defesas físicas do mundo mameluco. No Egito, as fortificações de Alexandria foram reforçadas, e a foz do Nilo em Damieta foi parcialmente selada para impedir nova incursão naval delta acima como aquela montada por Luís IX. Na Síria, muralhas destruídas pelos mongóis em locais como Damasco, Balbeque e Xaizar foram reparadas. A nordeste, ao longo do curso do Eufrates – agora a efetiva fronteira com o ilcanato persa –, o castelo de al-Bira tornou-se um pivô estratégico. A fortaleza foi reforçada e pesadamente vigiada, com sua segurança monitorada de perto por Baybars via *barid*. Al-Bira provou seu valor no final de 1264, quando resistiu com sucesso à primeira ofensiva séria de forças ilcanidas. Este ataque, provocado por uma pausa na guerra entre a Horda Dourada e a Pérsia mongol, fez que o sultão levasse suas forças para a guerra, mas enquanto ele se preparava para sair do Egito chegaram notícias de que os ilcanidas já haviam levantado seu cerco infrutífero a al-Bira e batido em retirada.

Contudo, acima da confiança nos castelos, o sultão Baybars via o exército como o alicerce do estado mameluco. Adotando e ampliando o sistema existente de recrutamento mameluco, ele comprou milhares de jovens escravos, provindos dos turcos quipchaques e, mais tarde, do Cáucaso. Esses meninos eram treinados e doutrinados como soldados mamelucos, e então, com a idade de dezoito anos, libertados para servirem seus mestres dentro do sultanato mameluco. Este procedimento criou uma força militar constantemente autorrejuvenescedora – o que um historiador moderno chamou de "nobreza de uma geração" – pois as crianças nascidas de mamelucos não eram vistas como parte da elite militar, embora lhes fosse permitido o alistamento das reservas *halgas*, de segunda classe.

Baybars investiu imensas reservas financeiras na construção, treinamento e refinamento do exército mameluco. No total, o número de mamelucos havia quadruplicado, chegando a 40 mil soldados montados. O núcleo desta força era o regime mameluco real, composto por quatro mil homens – a nova elite de Baybars, treinada e refinada numa unidade prática na cidadela do Cairo. Ali, era ensinada aos recrutas a arte da esgrima – aprendendo a desferir golpes precisos por meio da repetição do mesmo movimento até mil vezes por dia – e o tiro de arco a cavalo com poderosos arcos recurvos compostos. O sultão enfatizava a disciplina rígida e o rigoroso comportamento militar em todas as seções do exército mameluco. Durante seu reinado, dois imensos hipódromos foram construídos no Cairo – arenas de treinamento onde as habilidades essenciais da cavalaria e do combate podiam ser aperfeiçoadas. Sempre que estava na capital, o próprio Baybars ia diariamente praticar a arte da guerra, estabelecendo um padrão de profissionalismo e dedicação. Seus mamelucos eram incentivados a fazer experiências com novas armas e técnicas, com alguns arqueiros até tentando atirar flechas embebidas em fogo grego de seus cavalos.[10]

Tendo alcançado a idade adulta, os mamelucos eram pagos, mas também se esperava que mantivessem seus próprios cavalos, armaduras e armas. Para garantir que suas tropas estavam devidamente preparadas, Baybars instituiu revistas, nas quais o exército inteiro, em total uniforme marcial, desfilava diante do sultão num único dia (em parte para garantir que o equipamento não estava sendo desperdiçado). Deixar de assistir a essas demonstrações era punível com a morte. O medo também era usado para manter a ordem enquanto se estivesse em campanha. O consumo de vinho era proibido em muitas expedições, e o soldado apanhado desobedecendo a essa proibição era sumariamente enforcado.

Para reforçar o componente humano das forças armadas mamelucas, Baybars investiu em certas formas de armamento mais pesado. Grande atenção foi dedicada ao desenvolvimento de armas de assédio, inclusive catapultas de contrapeso, ou trabucos.[b] Estas máquinas tornaram-se o suporte principal do arsenal mameluco de assédio. Podendo ser desmontadas, levadas até a um alvo e então prontamente remontadas, as maiores podiam lançar pedras pesando mais de duzentos quilos. Além do poder militar bruto, Baybars também atribuiu grande valor a um serviço de inteligência preciso e atualizado. Assim, manteve uma extensa rede de espiões e batedores por todo o Oriente Próximo e recebia relatórios de agentes infiltrados entre os mongóis e os francos. O sultão também ofereceu um generoso patronato aos beduínos árabes do Levante, assim contando com seu valioso apoio, tanto nos conflitos militares quanto na obtenção de informações. Com esses diferentes métodos, Baybars construiu o mais formidável exército muçulmano da era das cruzadas; uma força mais numerosa, disciplinada e feroz que qualquer outra já enfrentada na guerra pela Terra Santa – a perfeita máquina militar de sua época.[11]

Tendo legitimado e consolidado cuidadosamente seu controle do poder, o sultão voltou-se, em 1265, para um estado islâmico unido para empregar essa arma mortífera em nome da *jihad*.

A GUERRA CONTRA OS FRANCOS

Ao contrário de seus predecessores aiúbidas, o sultão Baybars demonstrou pouco ou nenhum interesse por um acordo com o Ultramar. Em vez de apaziguar os francos para preservar os laços comerciais e impedir uma cruzada da Europa Ocidental, ele pura e simplesmente procurou erradicar a presença latina no Levante. Baybars calculou que, desta forma, o fluxo de comércio seria forçado a retroceder através do Egito mameluco e que, sem nenhuma cabeça de ponte na Terra Santa, qualquer tentativa do Ocidente de montar uma invasão sem dúvida fracassaria. O sultão estava sempre ciente da necessidade de se manter atento à ameaça mongol,

---

b   Às vezes chamadas de trabucos de contrapeso, para distingui-las de outra arma, o trabuco de tração, inventado antes do trabuco de contrapeso. (N.T.)

mas isto não o impediu de iniciar uma série de impiedosos ataques contra os Estados cruzados.

Enquanto o trabalho de preparação avançava a passos rápidos no mundo mameluco durante todo o início da década de 1260, Baybars empreendeu alguns ataques incidentais exploratórios na Palestina franca, dos quais o único resultado notável foi a destruição da igreja de Nazaré. Para impedir qualquer explosão prematura de hostilidades em escala total, o sultão concordou com algumas tréguas limitadas com várias facções do reino latino – um reino que agora se mostrava incrivelmente desunido e enfraquecido. O pacto mais útil foi feito com João de Ibelin, conde de Jafa, um dos últimos grandes nobres do Ultramar. Em 1261, Baybars aceitou as súplicas de João pela paz, e em troca usou o porto de Java para transportar suprimentos de grão do Egito aos territórios mamelucos da Palestina. Em 1265, contudo, com o assédio mongol de al-Bira tendo fracassado, a ofensiva de Baybars contra os francos começou a sério.

Um caminho de destruição

Durante os três anos seguintes, o sultão Baybars realizou uma campanha brutal de conquista e devastação, lançando a guerra numa escala não testemunhada desde os dias de Hattin em 1187. Para oferecer uma justificativa formal de seu ataque, o sultão acusou os francos de incentivo à recente invasão mongol do território mameluco ao norte. Então, no início de 1265, empreendeu seu próprio assalto. No passado, o primeiro objetivo de Baybars pode ter sido confrontar o exército dos francos, mas agora apenas sobrara um remanescente em frangalhos dessa força. Assim, o sultão estava livre para dar início à tarefa de eliminar os assentamentos latinos relativamente sem resistência.

Em fevereiro, o exército mameluco acampou nos bosques perto da cidade costeira fortificada de Arsuf. Baybars fez erguer uma enorme tenda ao lado do pavilhão real, dentro da qual três trabucos foram reunidos secretamente. Com o aparato de assédio preparado, o exército marchou contra o porto latino de Cesareia em 27 de fevereiro. Aparecendo subitamente, os muçulmanos rapidamente garantiram o controle da cidade baixa, enquanto a população cristã fugia para a cidadela – uma das que haviam sido recentemente refortificadas com a ajuda do rei Luís IX. O sultão posicionou seus trabucos, dando início a um pesado bombardeio com pedras e fogo grego, enquanto uma torre de assédio era erguida, em cima da qual ele lutou em pessoa. Em 5 de março, os defensores atormentados fugiram em alguns navios enviados de Acre, abandonando Cesareia, e Baybars ordenou que a cidade e a cidadela fossem totalmente arrasadas.

Mais uma vez, sem anunciar seu alvo, o sultão deslocou-se em direção sul em 19 de março e cercou Arsuf, que nessa época era circundado por um grande fosso e possuía um resistente torreão. A princípio, as unidades mamelucas sob o comando de Qalawun tentaram abrir caminho até as muralhas de Arsuf enchendo partes de seu fosso com grandes quantidades de madeira (tiradas das florestas locais), mas os defensores conseguiram queimar essas pilhas de troncos durante a noite. Depois desse revés inicial, Baybars atacou a cidade com um incessante bombardeio aéreo, e a guarnição finalmente capitulou em 30 de abril de 1265 e foi feita prisioneira. Diante dessa aterrorizante ofensiva, os francos baseados em Acre, bastante superados em números, ficaram completamente impotentes. Mesmo quando o governante nominal do Reino de Jerusalém, Hugo de Lusignan, chegou de Chipre em 23 de abril com um pequeno reforço, nenhuma ação foi tomada para conter a invasão mameluca. No início de maio, Baybars instruiu suas tropas a demolir Arsuf e, em triunfo, levou seus prisioneiros cristãos para o Egito, forçando-os a entrar no Cairo com cruzes quebradas penduradas nos pescoços. Nesse verão, o sultão escreveu para informar Manfredo da Sicília sobre esses sucessos. Numa total demonstração da indiferença casual pelo futuro do Ultramar que agora prevalecia em alguns círculos ocidentais, Manfredo respondeu com o envio de presentes congratulatórios ao Egito. Outros, inclusive o papado, começaram a pensar numa ação quando tomaram conhecimento da agressão mameluca.

Nesta primeira onda de ataque, Baybars arremeteu com velocidade e eficiência. Seus métodos e sucessos revelaram o domínio mameluco da técnica do assédio e sua surpreendente supremacia numérica e tecnológica. O sultão também havia exibido a habilidade de empregar a dissimulação de modo a impedir que seu inimigo latino se preparasse para um ataque. Em campanhas futuras Baybars tomou todo o cuidado para manter esse elemento surpresa. Sempre suspeitoso de espiões e batedores inimigos, usou mensageiros para entregar ordens a seus generais, com detalhes sobre o próximo alvo, com quem somente deveriam lidar depois de iniciada a marcha. E, acima de tudo, o sultão havia demonstrado que, no caso de Cesareia e Arsuf, sua intenção era a destruição, e não a ocupação. Ao longo de toda a costa Mediterrânea, sua política seria varrer os portos latinos da face da Terra Santa, fechando, uma a uma, as portas que ligavam o Ultramar com o Ocidente.

Dobrando os francos

Baybars renovou seus ataques na primavera de 1266. Um exército de cerca de 15 mil homens foi enviado a norte sob o comando de Qalawun para devastar o condado de Trípoli, onde algumas fortalezas menores foram arrasadas. Ainda naquele verão, uma segunda força mameluca foi despachada, desta vez para punir os cristãos armênios da Cilícia por sua aliança com os mongóis. O exército muçulmano invadiu em agosto de 1266 e começou a destruir uma sucessão de povoações armênias. Esta campanha inexorável deixou o reino cilício de Hethum num estado tremendamente enfraquecido.

Nesse ínterim, o sultão comandou o grosso de suas forças numa série de ataques devastadores costa acima, aplicando uma estratégia de terra arrasada a locais como Acre, Tiro e Sídon. O exército mameluco então se voltou para o interior para atacar a grande fortaleza templária de Safad na Galileia, o último baluarte latino no interior da Palestina. Segundo o chanceler de Baybars, este castelo foi atacado porque "era uma pedra no sapato da Síria e um obstáculo para que o peito do Islã respirasse". O cerco começou em 13 de junho de 1266, com uma mistura de bombardeio e sapa, e embora os defensores templários oferecessem uma forte resistência, foram eventualmente forçados a se render em 23 de julho. Condições da rendição foram acordadas supostamente permitindo aos francos um salvo-conduto até a costa, mas nunca foram cumpridas. Por descarada enganação ou porque se descobriu que os templários ainda estavam armados quando começaram a sair de Safad, Baybars ordenou a execução da guarnição. Cerca de 1.500 cristãos foram devidamente levados a uma colina próxima – local em que os templários tinham tradicionalmente executado cativos muçulmanos – e todos foram decapitados. Um único franco foi poupado e enviado a Acre para levar as notícias desses eventos, assim inspirando medo.[12]

Na esteira desse massacre, Baybars refortificou Safad com grande cuidado e com um considerável gasto, e guarneceu a fortaleza com tropas muçulmanas. Além de fortalecer as muralhas, duas mesquitas também foram construídas em seu interior. Isto estabelecia um segundo braço da estratégia do sultão: a retenção das mais importantes fortalezas do interior como centros de administração mameluca e dominação militar. Nos meses que se seguiram, ele destruiu uma série de outros castelos e povoados na Palestina, inclusive Ramla. No final do verão, o interior da Galileia e da Palestina estavam sob controle mameluco.

Tendo sofrido dois anos de absoluta derrota, os latinos do Ultramar ficaram em total desordem, inseguros de como reagir a esse inimigo aparentemente incontrolável. Em outubro de 1266, Hugo de Lusignan tentou bravamente conduzir um exército de 1.200 homens à Galileia, mas quase metade dele foi massacrada pela força muçulmana agora estacionada em Safad. A partir de então, os francos começaram a pedir que os mamelucos garantissem termos de paz, por mais punitivos que fossem. Em alguns casos, Baybars contentou-se com neutralizar e isolar potenciais oponentes enquanto a obra de conquista e destruição avançava em outras partes. Em 1267, por exemplo, o mestre dos hospitalários concordou com um humilhante tratado de dez anos cobrindo os castelos de Krak des Chevaliers e Margab, concordando em abrir mão dos tributos tradicionalmente cobrados dos muçulmanos locais e reconhecendo o direito de Baybars de anular o tratado quando bem desejasse. Contudo, quando os francos de Acre desesperadamente tentaram negociar uma trégua em março desse mesmo ano, Baybars recusou-a totalmente e, em maio, fez outra incursão destruidora aos arredores da cidade, aterrorizando a população e queimando as plantações. Segundo um cronista latino, os mamelucos "mataram mais de quinhentas das pessoas comuns" feitas prisioneiras nos campos, e então "arrancaram-lhes o couro cabeludo desde a parte inferior das orelhas". Estes escalpos foram então supostamente pendurados numa "corda em torno da grande torre de Safad". Esta história não é confirmada por nenhuma fonte muçulmana, mas indica claramente o nível de horror experimentado ou imaginado pelos cristãos durante os terríveis assaltos de Baybars.[13]

O destino de Antioquia

Os assíduos preparativos de Baybars no início da década de 1260 produziram alguns frutos consideráveis. Os postos avançados do Reino de Jerusalém estavam sendo eliminados praticamente à vontade, e o poder da Armênia Cilícia tinha sido completamente eliminado. Mesmo assim, os mamelucos ainda tinham que conquistar uma das grandes cidades do Ultramar – para esmagar o Estado cruzado e enviar a mensagem de que os dias do domínio latino no Levante estavam terminando. Em 1268, como os mongóis ilcanidas ainda não davam sinais de lançar uma nova invasão, o sultão decidiu que a hora disso havia chegado. Como alvo, escolheu o território de Boemundo VI, senhor de Trípoli e Antioquia – o príncipe franco que havia se aliado aos mongóis em 1260.

Com vistas firmemente para o norte, Baybars saiu do Egito naquela primavera. Fez uma breve pausa em Jafa. A trégua acordada com João de Ibelin havia terminado (o próprio João morrera em 1266), e o sultão recusou-se bruscamente a renovar os termos de paz. O porto caiu prontamente a seu ataque de um dia e meio, sendo logo demolido. Depois desta breve interrupção, Baybars levou seus exércitos ao condado de Trípoli, marchando costa acima no início de maio e deixando uma trilha de destruição atrás deles. Uma testemunha muçulmana contemporânea descreveu como "as igrejas (foram) varridas da face da terra... com os mortos empilhados nas praias como ilhas de cadáveres".

Boemundo VI estava escondido em Trípoli, preparando-se para resistir a um cerco, mas os mamelucos passaram direto pela cidade. O objetivo de Baybars era Antioquia. Avançando em direção norte via Apamea, ele chegou aos arredores da cidade em 15 de maio de 1268. O poderio de Antioquia como Estado cruzado havia desaparecido há muito, mas suas grandes muralhas ainda estavam de pé, contendo uma população de dez mil pessoas. O sultão, a princípio, parece ter incentivado os habitantes da cidade a negociar os termos de uma capitulação, mas eles ousadamente se recusaram, preferindo confiar nas mesmas muralhas que haviam repelido numerosos senhores de guerra muçulmanos, de Il-ghazi a Saladino. Isto se revelou uma loucura e um erro fatal. O exército mameluco cercou a cidade em 18 de maio e, em um dia, as tropas de Baybars chegaram perto da cidadela no Monte Silpius. Seguiu-se um massacre sanguinário e selvagem, fazendo eco àquele realizado pelos francos no momento de sua própria conquista, quase exatamente 170 anos antes. Em retribuição por sua teimosa recusa em se submeter, o sultão trancou os portões de cidade, de modo que ninguém podia escapar.

Jactando-se do triunfante horror desse momento, Baybars escreveu a Boemundo VI para relatar o saque de Antioquia. Em termos sarcásticos, congratulou o governante franco por não ter estado na cidade, "pois, caso contrário, estaria morto ou aprisionado", e descreveu, como, se ele estivesse presente, "teria visto seus cavaleiros prostrados debaixo dos cascos dos cavalos... as chamas se espalhando por seus palácios, seus mortos queimando neste mundo, antes de irem para o fogo do outro mundo". A queda da cidade ofereceu aos mamelucos uma grande pilhagem – afirmou-se que eles levaram dois dias simplesmente para dividir o saque – mas, depois que a limparam, os homens de Baybars deixaram Antioquia em total ruína, da qual ela não se recuperaria por séculos. Os poucos postos avançados dos templários remanescentes a norte foram imediatamente abandonados, enquanto o patriarca teve a permissão de permanecer em seu castelo em Cursat (um pouco ao sul) por mais alguns anos, mas apenas como súdito mameluco. O principado de Antioquia – outrora o grande bastião norte do Ultramar – havia sido devastado, reduzido a um enclave minúsculo e isolado no porto de Latáquia. Agora restavam apenas as ameaçadas carcaças de dois Estados cruzados: o condado de Trípoli e o Reino de Jerusalém.[14]

Em três anos de feroz campanha, o sultão Baybars havia demonstrado a força incomparável da máquina militar mameluca, desnudado sua fome de conquistar e de empreender a *jihad*, além de expor a lamentável fraqueza dos francos. Em 1269, ele permitiu que seus exércitos vitoriosos fizessem uma pausa para respirar e, naquele verão, permitiu-se o luxo de fazer o *hajj*,[c] embora tenha viajado incógnito para não deixar o sultanato

---

c   Em árabe: ﺣﺞ; transl.: Hajj ou Hadj) é o nome dado à peregrinação a Meca que todo muçulmano adulto com condições físicas e financeiras deve fazer pelo menos uma vez na vida. (N.T.)

vulnerável a alguma ameaça, externa ou interna. Com esta afirmação de sua fé islâmica realizada, Baybars voltou à Síria e começou a visitar seus domínios durante todo o outono. Neste momento, ele aparentemente exibia absoluta confiança em sua capacidade, para finalmente eliminar os últimos vestígios dos assentamentos latinos e resistir a qualquer ameaça renovada de invasão mongol.

Mas, então, notícias da devastação do Ultramar e da emergência do terrível flagelo mameluco do Levante começaram a chegar ao Ocidente. Velhos e novos campeões estavam aceitando a cruz, com os olhos voltados a uma última oportunidade de reclamar a Terra Santa.

23. A TERRA SANTA RECLAMADA

No final da década de 1260, pouco restava dos outrora poderosos assentamentos cruzados no Ultramar. Os francos estavam agora confinados a uma faixa costeira que começava ao norte no Castelo dos Peregrinos dos Templários (ao sul de Haifa), passando por Acre, Tiro, Trípoli e Margat e ia até o posto avançado de Laodiceia. Só um punhado de castelos ainda se erguia no interior, incluindo o quartel da Ordem Teutônica em Montfort e a temível fortaleza templária, o Krak des Chevaliers. A rivalidade interna grassava entre os latinos, com vários reclamantes contestando o trono de Jerusalém, os mercadores italianos de Veneza e Gênova brigando pelos direitos comerciais e até as Ordens Militares se envolvendo em rusgas políticas mesquinhas. A autoridade centralizada havia se desenvolvido de tal forma que cada cidade franca funcionava como unidade política independente. O choque da conquista de Antioquia em 1268 nada fez para conter essa descida espiralada para a desunião e a decadência.

Nesse ínterim, o sultão Baybars havia obtido grandes vitórias contra os cristãos, afirmando de modo manifesto seu compromisso com a *jihad*. Seu impiedoso tratamento da guerra santa havia reduzido os Estados cruzados a uma posição de quase total vulnerabilidade. Mas o sultão tinha que estar atento à ameaça representada pelos mongóis. Os problemas que, durante anos, os paralisaram na Mesopotâmia, Ásia Menor e Rússia – incluindo prolongadas disputas dinásticas e a declarada hostilidade entre a Horda Dourada e o Ilcanato da Pérsia –, agora começavam a diminuir. Abaqa, o enérgico novo ilkhan,[d] chegara ao poder em

---

[d] O termo "il-Khan" significa "subordinado khan" e refere-se à deferência inicial a Möngke Khan e ao seu sucessor do império mongol. O título "ilkhan", carregado pelos descendentes de Hülagü e depois outros príncipes Borjigin na Pérsia, só se materializa nas fontes depois de 1260. (N.T.)

1265 e imediatamente tentou garantir uma aliança contra os mamelucos com a Europa Ocidental. Havia a ameaça de um destrutivo assalto ilcanida contra o Islã. Contudo, na primavera de 1270, quando Baybars procurava controlar essa ameaça vinda do Norte, chegaram-lhe notícias em Damasco de que os franceses estavam, no Ocidente, se preparando para uma cruzada. Lembrando-se muito bem do estrago no Egito provocado pela última invasão latina em 1249, o sultão imediatamente voltou ao Cairo para preparar as defesas muçulmanas.

A SEGUNDA CRUZADA DO REI LUÍS

De volta a Roma, o papa Clemente IV ficou profundamente alarmado pela feroz campanha mameluca que começara em 1265. Reconhecendo que a guerra pela Terra Santa estava sendo perdida, em agosto de 1266 Clemente IV começou a formular planos para uma cruzada relativamente pequena, mas rapidamente organizada com cuidado. Ele recrutou muitas tropas, principalmente dos Países Baixos – instruindo-as a zarpar, no máximo, até abril de 1267 – e abriu negociações para uma coalizão com Abaga e o imperador bizantino Miguel VIII. No final do verão de 1266, contudo, o rei Luís IX da França tratou de assumir a expedição. Veterano da guerra santa, agora com cinquenta e poucos anos, cada vez mais apegado às suas devoções religiosas, ele achou que essa era uma chance de apaziguar as conturbadas lembranças de Mansura. Naquele setembro informou ao papa, em particular, seu desejo de se juntar à cruzada. Em certo sentido, o alistamento de Luís – confirmado publicamente por um voto de cruzado em 25 de março de 1267 – foi uma dádiva, pois prometia resultar numa campanha muito maior e mais poderosa. Com isto em mente, Clemente IV postergou a iniciativa menor em que havia originalmente pensado. De um modo um tanto irônico, este adiamento (resultado do entusiasmo do rei) deixou Baybars livre para esmagar Antioquia em 1268.

Como já havia feito na década de 1240, Luís IX fez cuidadosos preparos financeiros e logísticos para essa segunda empreitada. O recrutamento para esta campanha não foi tão entusiasmado – João de Joinville, o velho companheiro de armas do rei, foi um que não se alistou.

Mas dados os reveses sofridos pelas expedições anteriores e as preocupações expressas em alguns setores quanto ao aparente abuso papal do ideal cruzado, o número de participantes foi surpreendentemente substancial. A figura mais notável a aceitar a cruz foi lorde Eduardo, futuro rei da Inglaterra. Recém-saído vencedor da guerra civil que havia ameaçado os domínios de seu sitiado pai, o rei Henrique III, lorde Eduardo comprometeu-se com a cruzada em junho de 1268 e, deixando de lado toda animosidade com a França, concordou em coordenar sua expedição com a do rei Luís IX.

Contudo, em novembro de 1268 Clemente IV faleceu, e devido às divisões na Igreja quanto às relações de Roma com o ambicioso (e segundo alguns relatos, não tão confiável) Carlos de Anjou (o irmão sobrevivente de Luís IX e agora rei da Sicília), nenhum sucessor do papa foi escolhido até 1271. Durante este interregno, o senso de urgência que Clemente IV procurara instilar nos cruzados rapidamente se dissipou. Com o ímpeto perdido, a partida foi postergada até o verão de 1270. E enquanto isso, renovadas tentativas foram feitas para contatar o ilkhan mongol Abaga, e em março de 1270 Carlos de Anjou acabou por aceitar a cruz.

Depois que finalmente embarcou em Aigues-Mortes em julho de 1270, essa cruzada mostrou-se um patético anticlímax da anterior. Por motivos que nunca foram satisfatoriamente explicados, mas podem muito bem ter relação com as maquinações de seu intrigante irmão Carlos, Luís IX desviou-se de sua rota declarada para a Palestina. Em vez disso, zarpou para Túnis (na moderna Tunísia), que era então governada por um senhor da guerra muçulmano independente, Abu Abdallah. O rei franco chegou ao norte da África aparentemente na esperança de que Abdallah se convertesse ao cristianismo e colaborasse em um ataque ao Egito mameluco. Quando ele se recusou a fazê-lo, foram feitos planos para atacar Túnis – o que por fim nunca aconteceu. No calor de meados do verão, a doença caiu sobre o acampamento cruzado e, no início de agosto, o próprio rei ficou doente. Em três semanas, suas forças o abandonaram. Em 25 de agosto de 1270, o piedoso monarca cruzado Luís IX falecia, com seu ato final tendo sido uma infrutífera campanha muito distante da Terra Santa. A lenda afirma que suas últimas palavras foram:

"Jerusalém, Jerusalém". Os sonhos do rei de recuperar aquela cidade sagrada deram em nada, mas sua sincera devoção era inequívoca. Em 1297 Luís IX foi canonizado santo.[15]

Após a morte de Luís IX, foram feitos esforços, em meados de novembro, de zarpar para o Levante, mas quando uma boa parte da esquadra afundou em meio a uma grande tempestade, a maioria dos francos voltou para a Europa. Só Carlos de Anjou acabou lucrando com a empreitada, ao assinar um tratado com Abu Abdallah que produziu o pagamento de ricos tributos à Sicília. Lorde Eduardo da Inglaterra, sozinho na liderança dos cruzados, recusou-se a abrir mão de seu propósito e insistiu em prosseguir viagem para o Oriente Próximo com uma pequena frota de treze navios.

APERTANDO O LAÇO

Cerca de seis meses antes, em maio de 1270, Baybars havia retornado ao Cairo para preparar o Egito contra a esperada invasão do rei Luís IX. Ele levou essa ameaça a sério, colocando a região do Nilo em alerta máximo, e depois demoliu as muralhas de Ascalão e encheu seu porto com pedras e troncos para torná-lo inutilizável. Mas, no outono, a notícia da morte do rei franco chegou ao Cairo, trazendo alívio e deixando o sultão livre para preparar o exército mameluco para outra campanha.

A fortaleza impugnável

No início de 1271, Baybars marchou em direção norte para atacar os remanescentes postos avançados latinos na parte sul dos Montes Ansariyah – que outrora haviam sido a zona fronteiriça entre Antioquia e Trípoli. Esta área era dominada por um castelo hospitalário supostamente impugnável: o Krak des Chevaliers. Desde que as cruzadas começaram, nenhum comandante muçulmano havia feito uma tentativa séria de investir contra essa fortaleza, empoleirada num espinhaço íngreme e dominando a região à sua volta. Significativamente fortalecida por um intenso programa de construção no início do século XIII, as defesas de Krak agora se erguiam como perfeita expressão da vanguarda da tecnologia franca de construção de castelos. Contudo, mesmo diante desse desafio aparentemente intransponível, Baybars não se deteve. Chegando com a força de um arsenal balístico, cercou a fortaleza em 21 de fevereiro.

Krak só permitia a aproximação pelo sul do espinhaço, e foi ali que os hospitalários haviam posicionado suas defesas mais resistentes: muralhas duplas, alinhadas com robustas torres redondas; um fosso interno, levando a um talude (parede de pedra inclinada) para impedir a solapamento. Contudo, os mamelucos concentraram seu bombardeio neste setor e, depois de mais de um mês, a barreira eventualmente cedeu, provocando o desmoronamento das muralhas externas do lado sul. Isto não foi o fim do problema, pois os hospitalários conseguiram se retirar para a área interna – uma cidadela compacta que era praticamente indestrutível. Percebendo que vencer esse obstáculo provavelmente custaria a vida de muitos soldados muçulmanos e certamente resultaria num dano à própria estrutura do castelo, Baybars mudou de tática. No início de abril, forjou uma carta apresentada ao comandante da guarnição latina. A missiva, supostamente do mestre dos hospitalários, instruía os cavaleiros a buscar os termos de uma rendição. Não se sabe exatamente se eles foram enganados pelo ardil do sultão ou se meramente aproveitaram a oportunidade para capitular com um mínimo de honra. De qualquer modo, os hospitalários se entregaram em 8 de abril de 1271 e foi-lhes garantida passagem livre até Trípoli. Em maio, os muçulmanos caíram sobre alguns fortes afastados e, com confiança, Baybars novamente escreveu a Boemundo VI, desta vez para advertir o conde de Trípoli de que as correntes estavam prontas para o seu aprisionamento. O sultão ordenou o principal avanço em 16 de maio, mas, ao mesmo tempo, recebeu a notícia da chegada de lorde Eduardo a Acre com um exército cruzado. Incerto quanto ao nível preciso da ameaça contra a Palestina, Baybars cancelou a invasão de Trípoli e acedeu prontamente aos pedidos de Boemundo VI de uma trégua, concordando com uma paz de dez anos.[16]

Lorde Eduardo da Inglaterra

Viajando via Damasco, o sultão chegou ao norte da Palestina, pronto para conter um ataque dos cruzados de lorde Eduardo vindo de Acre.

Contudo, logo ficou claro que o lorde inglês tinha chegado apenas com um contingente limitado de tropas. Livre para agir, Baybars prontamente sediou o castelo de Montfort – o quartel da Ordem Teutônica, nas colinas a leste de Acre. Mais uma vez, a vitória logo se seguiu. Depois de três semanas de bombardeio pesado e solapamento, a fortaleza se rendeu em 12 de junho e, neste caso, foi demolida em seguida. Em julho de 1271, lorde Eduardo montou uma incursão de pouca duração ao território muçulmano a leste de Acre, mas logo deu meia-volta quando seus soldados caíram doentes, desacostumados com o calor e a comida local. Este tipo de incursão fugaz causou pouca preocupação ao sultão. Sua maior preocupação era a possibilidade de uma aliança entre os cruzados ingleses e os mongóis ilcanidas. De fato, fontes cristãs deixam claro que, ao chegar ao Levante, lorde Eduardo despachou imediatamente enviados a Abaga, mas parece que nenhuma resposta foi obtida. Mesmo assim, naquele outono, por coincidência ou planejamento, os mongóis e os latinos conseguiram lançar ofensivas mais ou menos simultâneas. Em outubro, tropas ilcanidas marcharam contra o norte da Síria e devastaram a região em torno de Harim. Enquanto isso, no final de novembro, lorde Eduardo montava uma segunda expedição punitiva à área sudeste de Cesareia. Contudo, nenhum desses ataques foi feito com resolução, nem houve nenhuma demonstração real de determinação, e, em vez de comandar pessoalmente, Abaqa enviou um de seus comandantes. Baybars foi forçado a preparar algumas divisões mamelucas, mas dominou facilmente essas duas incursões menores. Com recursos tão limitados à sua disposição, não havia muito mais que lorde Eduardo pudesse fazer. Quando lutou no Ocidente, ele provara ser um hábil general e um guerreiro frio – qualidades que se destacariam durante seu período como rei da Inglaterra –, mas na Palestina não teve uma oportunidade verdadeira de exercer esses talentos. Mesmo assim, a cruzada inglesa beneficiou o Ultramar, suspendendo o ataque a Trípoli e levando Baybars a reavaliar suas prioridades estratégicas. A recente ofensiva ilcanida foi repelida, mas parecia pressagiar uma nova era de agressão mongol e expunha os perigos potenciais de uma aliança entre Abaqa e os francos. Com tudo isto em mente, o sultão decidiu negociar a segurança na Palestina, concordando com uma trégua de dez anos com o Reino de Jerusalém em 21 de abril de 1271. O acordo deu aos latinos pequenas concessões territoriais e uma promessa de acesso a Nazaré para os peregrinos. Baybars estava disposto a usar a negociação para neutralizar o Reino de Jerusalém, mas já havia decidido empregar meios mais violentos para lidar com a lenta e imprevisível ameaça representada pelo lorde Eduardo.

Em algum momento durante os meses precedentes, o sultão havia contratado um assassino para matar o cruzado inglês. Utilizando um embuste lento e cuidadoso, este muçulmano conseguir entrar em Acre – dizendo querer ser batizado – e então se infiltrou no serviço a Eduardo. Numa noite de maio, ele pegou o cruzado desprotegido em seus aposentos e o atacou repentinamente com um punhal. Reagindo instintivamente, Eduardo desviou-se do golpe e a lâmina provocou-lhe apenas um pequeno ferimento, talvez na virilha. O atacante foi espancado até a morte e, temendo que houvesse veneno envolvido no atentado, o príncipe inglês recebeu imediatamente um antídoto. Esta pode ter sido uma medida desnecessária; de qualquer modo, depois de algumas semanas de convalescença, Eduardo recuperou a saúde. Tendo sobrevivido a este embate com a morte, ele deixou o Oriente Próximo no final de setembro de 1272.[17]

Mudança de enfoque

Com os tratados de paz com os francos na Palestina e em Trípoli, Baybars voltou sua atenção para os mongóis. No final de 1272, Abaqa lançou outra ofensiva, mais concertada, que só foi repelida depois de uma série de embates travados com dificuldade em que Qalawun se destacou. O sultão agora estava resolvido a tratar do problema ilcanida diretamente. Em vez de esperar outras invasões, decidiu enfrentar o inimigo – voltando ao Egito, começou a fazer planos para a campanha mais ambiciosa de sua carreira.

Em 1273 Baybars enfrentou dois problemas. Durante anos, seu desacreditado confidente *sufi* Khadir al-Midrani tinha sido motivo de irritação e suspeita por parte dos principais emires do sultão. Khadir ganhou uma reputação de descontrolado desvio sexual e de adúltero voraz; também era dado à profanação dos lugares sagrados de outras religiões

– provocando danos significativos em locais como o Santo Sepulcro. Em maio de 1273, os emires finalmente o acuaram sob as acusações irrefutáveis de desfalque e forçaram o sultão a reconhecer os crimes de seu confidente em um tribunal do Cairo. A pena de morte foi prescrita, mas logo comutada para aprisionamento quando Khadir profetizou que sua própria morte seria imediatamente seguida pela de Baybars. Em julho desse mesmo ano, o sultão também se voltou contra os Assassinos. A Ordem Isma'ili havia mantido uma presença enfraquecida nos flancos ocidentais das Montanhas Ansariyah durante o século XIII. Apesar de ter recorrido a seus serviços em 1272, Baybars agora achou que sua continuada independência era inaceitável. Forças mamelucas foram então instruídas a tomar posse das fortalezas remanescentes dos Assassinos, incluindo Masyaf, e deste ponto em diante os remanescentes da Ordem foram controlados pelo sultanato.

Para além dessas preocupações menores, Baybars pôs em dia a força total de sua energia e de seus recursos em meados da década de 1270 para os preparativos de um ataque ao território ilcanida. Rejeitando um golpe frontal ao Iraque – provavelmente devido ao fato de que as forças mamelucas e mongóis estavam bastante equilibradas para essa estratégia obtusa –, o sultão lançou cuidadosamente as bases para uma invasão da Ásia Menor (então um protetorado ilcanida). No início de 1277, ele conduziu seus exércitos do norte da Síria para a Anatólia e lá obteve uma série de incríveis sucessos – derrotando, em abril, os mongóis estacionados na Ásia Menor em Elbistan. Deixando para trás cerca de sete mil inimigos mortos, Baybars imediatamente se autoproclamou sultão da Anatólia, mas sua vitória teve pouca duração. Com outro grande exército ilcanida a caminho, os mamelucos ficaram perigosamente isolados e encararam a possibilidade de ficarem sem comunicação com a Síria. Num reconhecimento tácito de que havia sobrecarregado suas forças, o sultão ordenou uma rápida retirada. Ele havia provado que a ameaça mongol podia ser contida, mas também teve que aceitar que não podiam ser decisivamente derrotados em seu próprio território.

A determinação de Baybars de imobilizar a Pérsia ilcanida o havia levado para longe da guerra contra os francos. Essa luta ainda poderia ser completada, mas ao retornar a Damasco em meados de junho de 1277, o sultão contraiu uma severa disenteria. Um de seus últimos atos foi despachar um mensageiro, ordenando a libertação do adivinho Khadir. Em 28 de junho, Baybars, o Leão do Egito, morreu. Sua mensagem chegou devidamente ao Cairo, mas o perdão chegara tarde demais. Khadir já tinha sido estrangulado por Baraka, filho e herdeiro de Baybars. Seja devido ao acaso ou ao desejo supersticioso de Baraka de apressar a morte do pai, a previsão de Khadir tinha se concretizado.[18]

Baybars – o flagelo dos francos

O sultão Baybars nunca conseguiu a vitória total na luta pelo domínio da Terra Santa. Mas durante sua surpreendente carreira, ele havia defendido o sultanato mameluco e o Islã contra os mongóis e infligido o mais sério dano aos Estados cruzados, provocando ferimentos que com certeza se comprovariam fatais. Há muito os historiadores reconheceram as realizações de Baybars na *jihad*, destacando o forte desvio da política preconizada por seu reino: a derrubada do apaziguamento e da *détente* dos aiúbidas; a busca intransigente pela guerra, ainda que em duas frentes. Menores esforços têm sido feitos para situar o sultão no contexto da era cruzada mais ampla e julgar seus métodos e realizações em comparação àqueles dos líderes muçulmanos do século XII.

Num certo sentido, Baybars fundiu e aperfeiçoou os modos de governar adotados por esses antecessores. Como o *atabeg* Zengui, empregou o medo para pacificar seus subordinados e manter a disciplina militar. Mas Baybars também buscou garantir o apoio e a lealdade de seus súditos selando o poder inspirador da devoção religiosa e empregando a propaganda manipuladora – técnicas utilizadas por Nur al-Din e Saladino. Em comum com esses três predecessores, Baybars, como mameluco quipchaque, era um forasteiro; como eles, procurou legitimar seu governo e dinastia, bem como cultivar a reputação de supremo *mujahid* do Islã.

Mesmo assim, em muitos sentidos, as qualidades e sucessos de Baybars suplantaram os de Zengui, Nur al-Din e até de Saladino. O sultão mameluco foi um administrador mais disciplinado e atento, de uma forma como Saladino nunca fora para as realidades financeiras do estado e da guerra. Quando muito, os zênguidas e os aiúbidas impuseram uma frágil aparência de unidade ao Islã do Oriente Próximo – mas Baybars conseguiu um poder quase hegemônico sobre o Levante e criou um exército muçulmano incomparável e obediente. As circunstâncias e as oportunidades sem dúvida desempenharam seu papel, mas talvez, acima de tudo, tenham sido os traços pessoais de Baybars que o distinguiram. Durante os dezessete anos de seu sultanato, sua incansável energia o fez viajar por cerca de 40 mil quilômetros, agindo em 38 campanhas. O gênio militar trouxe-lhe mais de vinte vitórias contra os latinos. E, o que foi mais importante, o sultão foi um adversário incansavelmente impiedoso, cuja ambição não era abrandada pela humanidade ou pela compaixão testemunhadas sob Saladino. Indubitavelmente um déspota brutal e até indiferente, Baybars, contudo, levou o Islã mais próximo que nunca ao triunfo na guerra pela Terra Santa.

TESTES E TRIUNFOS

Baybars tencionava passar o sultanato mameluco para Baraka, seu filho e suposto cogovernante, mas este se mostrou um sucessor inepto, alienando o círculo mais próximo dos emires mamelucos. Uma incontrolável luta pelo poder se seguiu, que viu Baraka derrubado e Qalawun emergir do conflito interno para reclamar o título de sultão em novembro de 1279. Contudo, mesmo assim Qalawun não foi capaz de garantir o controle total do Oriente Próximo muçulmano antes de 1281.[19]

Qalawun e o sultanato mameluco

Durante seu primeiro ano de governo, Qalawun assistiu a uma acelerada onda de agressão mongol. O ilkhan Abaqa tirou vantagem da desordem que afligia os mamelucos para enviar uma considerável força de ataque ao norte da Síria em 1280, provocando a evacuação geral de Alepo. Em 1281 ficou claro que a invasão em escala total, sempre temida por Baybars, estava para começar em breve. Esse lúgubre espectro na verdade possibilitou que Qalawun impusesse um maior grau de união no reino mameluco, mas também o forçou a renovar a trégua com os francos. O sultão chegou a concordar com um tratado de paz com os hospitalários em Margat, apesar de eles terem usado a oportunidade da ofensiva mongol de 1280 para pilhar o território muçulmano.

Com agentes mamelucos infiltrados no ilcanato persa avisando que Abaqa estava preparando seu exército, Qalawun manteve suas tropas em Damasco a partir da primavera de 1281. Um enorme exército ilcanida cruzou o Eufrates naquele outono – talvez incluindo 50 mil mongóis da região, além de outros 30 mil aliados georgianos, armênios e turcos seljúcidas. Mesmo depois de ter posto quase todos os regimentos mamelucos disponíveis no campo de batalha, Qalawun provavelmente tenha sido suplantado numericamente; não obstante, tomou-se a decisão de marchar para Homs, ao norte, e confrontar o inimigo. A batalha aconteceu nas planícies ao norte da cidade em 29 de outubro de 1281. Confiante na disciplina temerosa e na habilidade com as armas, instiladas na máquina de guerra mameluca por Baybars, Qalawun obteve uma segunda vitória histórica sobre os mongóis – fazendo eco às glórias de Ayn Jalut – e a horda ilcanida suplantada bateu em retirada para o outro lado do Eufrates. Com a supremacia mameluca confirmada, o perigo imediato de um ataque mongol se reduziu. Qalawun passou os anos seguintes consolidando seu poder sobre o sultanato, mas em meados da década de 1280 estava livre para redirecionar sua atenção para o aniquilamento do Ultramar.[20]

Voltando-se para o Ultramar

Apesar das recentes dificuldades mamelucas, os francos levantinos continuavam num estado de vulnerabilidade e desunião. O reino latino de Jerusalém estava despedaçado por disputas pela liderança que culminaram com locais como Beirute e Tiro declarando sua independência. No condado de Trípoli, Boemundo VII (que chegou ao trono depois da morte de seu pai em 1275) estava em conflito declarado com os templários – irritado com o poderio excessivo da ordem em Tortosa – e encarava uma rebelião no porto de Jubail, ao sul. Nesse ínterim, os Estados mercantis italianos estavam às turras em mais outra amarga guerra comercial, desta vez envolvendo Veneza, Pisa e Gênova. Em 1280, os genoveses saíram dessa disputa como força dominante e começaram a impor uma camisa de força ao comércio do Mediterrâneo Oriental.

Os Estados cruzados podiam ter pouca esperança de receber ajuda do Ocidente. No início da década de 1270, enquanto Baybars estava com a atenção concentrada nos mongóis, um novo papa, Gregório X, fora finalmente eleito como sucessor de Clemente IV. No tempo da cruzada do lorde Eduardo e antes de sua elevação ao trono papal, Gregório X tinha visitado Acre e assim estava sabendo dos problemas do Ultramar. Uma vez instalado em Roma, tratou de energizar o Ocidente latino e enfrentar as críticas generalizadas contra as cruzadas. Estas incluíam a condenação dos ataques dos soldados da cruz contra cristãos, o cinismo quanto à redenção do voto de cruzado em troca de dinheiro e a inquietação com a excessiva carga do imposto especial para as campanhas. Além disso, algumas vozes dissidentes sugeriam que os francos levantinos realmente precisavam de ajuda para ter uma força de luta profissional permanente, financiada pelo Ocidente, e não expedições cruzadas mal definidas e intermitentes. O papa Gregório fez algumas indagações quanto ao estado do movimento cruzado, mas também estava determinado a ajudar o esforço de guerra no Oriente Próximo. Tendo convocado o Segundo Concílio de Lyon em maio de 1274, ele anunciou planos para uma nova campanha começando em 1278. Pela força de vontade, garantiu o apoio da França, da Alemanha e de Aragão (reino ao norte da atual Espanha), propondo financiar a empreitada taxando a Igreja em um décimo por seis anos. Mas, apesar de toda sua amplitude, o grande esquema do papa deu em nada. Quando Gregório morreu em 1276, esse projeto entrou em colapso, e a preocupação com o destino do Ultramar mais uma vez ficou em segundo plano, entre as emaranhadas intrigas da vida política da Europa Ocidental.[21]

Qalawun, portanto, pôde atacar os remanescentes postos avançados dos francos com relativa impunidade a partir de meados dos anos 1280. Ansioso por explorar toda oportunidade de cancelar os tratados já acordados com os cristãos, o sultão condenou os hospitalários por atacarem terras muçulmanas e lançado sua campanha contra Margat[e] em maio de 1285. Sapadores mamelucos conseguiram pôr abaixo uma das torres da

---

e   Margat, também conhecido como Marqab em árabe: Qalaat al-Marqab é um castelo perto de Baniyas, na Síria, bastião dos cruzados e uma das principais fortalezas dos hospitalários. (N.T.)

fortaleza, e os defensores abriram mão do segundo grande castelo sírio de sua ordem. Como no caso do Krak des Chevaliers, Margat foi reparado e nele se instalou uma guarnição mameluca. Em abril de 1287 Qalawun manteve a pressão ao norte capturando Laodiceia, afirmando que o porto "antioqueno" não era coberto por seu pacto com Trípoli. Naquele outono o condado estava enfraquecido pelas contínuas crises sucessórias que se seguiram à morte de Boemundo VII. Uma guerra civil irrompeu, em que os genoveses procuraram assumir o controle da cidade e assim estabelecer um novo centro comercial no Líbano. Isto culminou, na realidade, com um grupo rival de italianos apelando para a intervenção de Qalawun. Feliz por ter sido presenteado com uma pronta desculpa para invadir Trípoli e impedir que os genoveses desafiassem o ressurgente poder econômico de Alexandria, o sultão reuniu suas forças. Os francos continuaram com suas brigas insignificantes, esquecendo o perigo iminente. Só o mestre dos templários, Guilherme de Beaujeu – que, evidentemente, tinha seus próprios informantes no mundo mameluco –, reconheceu que Qalawun estava prestes a montar um grande cerco, mas suas advertências foram grandemente ignoradas.

O exército mameluco se reuniu no Krak des Chevaliers e então investiu contra Trípoli, iniciando um cerco em 25 de março de 1289. Depois de um mês de bombardeios, a cidade foi invadida em 27 de abril e um saque sanguinário teve início. Centenas, talvez até milhares de homens foram massacrados, enquanto as mulheres e crianças eram escravizadas. Alguns latinos escaparam em navios descendo a costa. Outros, em embarcações menores, se refugiaram na minúscula ilha de São Tomás, perto do continente, mas foram impiedosamente perseguidos pelos soldados de Qalawun e logo massacrados. Lutando no exército mameluco, um nobre de Hama chamado Abu'l Fida mais tarde escreveu: "Depois de saquear (a cidade), fui de barco até a ilha e a encontrei com pilhas de corpos em putrefação; era impossível desembarcar lá devido ao fedor".

Com a conquista de Trípoli, Qalawun ordenou que a cidade fosse arrasada e que um novo assentamento fosse construído nas proximidades, numa jogada talvez destinada a insinuar sua disposição de erradicar toda lembrança dos francos. Nas semanas que se seguiram, os últimos poucos postos avançados do condado de Trípoli caíram em rápida sucessão; o governador latino de Jubail teve a permissão de ficar, mas só em troca do pagamento de um pesado tributo. Como Baybars antes dele, Qalawun havia destruído um Estado cruzado. Seu olhar então se voltou na direção sul, para os últimos vestígios de assentamentos francos na Palestina – a cidade de Acre – e tiveram início os preparativos para um ataque total à capital do Ultramar latino.[22]

1291 – O CERCO DE ACRE

O choque da queda de Trípoli finalmente fez que alguns cristãos latinos reconhecessem que o desastre estava se aproximando. Na Europa, o papa Nicolau IV fez ruidosos esforços para reativar os planos de Gregório X para uma grande cruzada. Nicolau IV também procurou oferecer ajuda imediata, enviando quatro mil *livres tournois* ao patriarca latino de Jerusalém e fornecendo treze galeras para ajudar na defesa de Acre. Em fevereiro de 1290, o papa convocou uma nova cruzada que tinha o otimista objetivo de conseguir a "liberação total da Terra Santa". Proibindo todo contato comercial com os mamelucos, Nicolau anunciou a data de partida da expedição para junho de 1294. Em resposta, o rei Jaime II de Aragão prometeu enviar tropas ao Levante, enquanto Eduardo I, agora rei da Inglaterra, enviava um contingente militar a Acre em 1290, sob o comando de Oto de Grandson, veterano da campanha anterior, no início dos anos 1270. Na Páscoa de 1290, um contingente de cerca de 3.500 cruzados italianos também zarpou para a Palestina. Mas além destes sinais de atividade, outras providências estavam em andamento. Apesar de suas garantias ao papa, Jaime de Aragão negociou um tratado com os mamelucos, prometendo não ajudar a cruzada em troca da promessa de que peregrinos aragoneses teriam permissão de visitar Jerusalém. Qalawun também se reconciliou com os genoveses.[23]

A esta altura, os mamelucos estavam ocupados com os preparativos para a campanha, mas Qalawun ainda procurava um pretexto para rescindir o tratado com Acre ainda em validade. Isto ocorreu em agosto de 1290, quando alguns dos cruzados italianos recém-chegados atacaram um grupo de mercadores muçulmanos em Acre. Depois de os francos se recusarem a entregar os culpados à justiça sumária, o sultão declarou guerra. Nesse outono, o exército mameluco estava para sair do Egito quando Qalawun caiu doente e morreu em 10 de novembro de 1290, mas seu herdeiro al-Ashraf Khalil estava pronto para assumir o poder sem maiores dificuldades. Depois de uma breve interrupção, Khalil finalmente tratou de concluir a obra iniciada por seu pai.

A última batalha

Qalawun e Khalil reconheceram que a cidade de Acre – pesadamente fortificada, com duas linhas de muralhas e numerosas torres, além de densamente guarnecida –, não seria um alvo fácil. A operação muçulmana, portanto, foi planejada com grande cuidado e premeditação. A estratégia mameluca baseava-se em dois princípios: uma surpreendente superioridade numérica, com dezenas de milhares de cavaleiros mamelucos assistidos por esquadrões de infantaria e equipes especializadas de sapadores, além de um extraordinário arsenal de máquinas de guerra construídas desde o sultanato de Baybars. Nos últimos dias do inverno de 1291, Khalil ordenou que cerca de cem máquinas balísticas que estavam espalhadas pelo Levante mameluco fossem levadas a Acre. Algumas dessas armas eram realmente de escala e poder monstruosos. Abu'l Fida estava no comboio de assédio que contava com uma centena de carros de bois transportando as peças de um enorme trabuco apelidado de "Vitorioso", que antes se encontrava no Krak des Chevaliers. Ele se queixou de que, marchando embaixo de chuva e de neve, a coluna pesadamente carregada levou um mês para cobrir uma distância que normalmente era vencida em oito dias.

Em 5 de abril de 1291, as tropas do sultão Khalil cercaram Acre a partir da costa norte acima de Montmusard até a parte sudeste do porto, e o assédio teve início. Nesta ocasião, a cidade continha muitos membros das Ordens Militares – incluindo os mestres dos templários e hospitalários – e, com o tempo, a gravidade da ameaça agora imposta à cidade trouxe outros reforços por mar, entre eles o rei Henrique III (monarca titular de Jerusalém), com duzentos cavaleiros e quinhentos soldados de infantaria de Chipre. Mesmo assim, os cristãos foram desesperadamente suplantados em números. Khalil lançou-se à tarefa de esmagar Acre com uma metódica determinação. Com suas forças dispostas mais ou menos num semicírculo em torno da cidade, teve início uma barreira aérea. Os maiores trabucos, como o "Vitorioso" e outro, conhecido como "Furioso", foram montados e agora estavam esmurrando as muralhas da cidade com enormes pedras. Enquanto isso, grupos de dispositivos balísticos menores unidos a esquadrões de arqueiros foram dispostos atrás das telas de assédio para fazer cair uma chuva de mísseis sobre os francos. De escala imensa, incessante em sua intensidade, este bombardeio não se parecia com nada já testemunhado pelas cruzadas. Grupos de soldados mamelucos trabalhavam em quatro turnos cuidadosamente coordenados dia e noite. E, a cada dia, Khalil ordenava que suas forças fizessem um pequeno avanço – apertando gradativamente o laço em torno de Acre, até chegaram a seu fosso externo. Uma testemunha ocular latina sugeriu que, à medida que esses esforços avançavam, possíveis termos de rendição eram discutidos. O sultão aparentemente ofereceu a permissão para que os cristãos partissem com o que pudessem transportar, desde que a cidade ficasse intocada. Mas os enviados francos parecem ter recusado, preocupados com a desonra que seria sofrida pelo rei Henrique graças a uma absoluta aceitação da derrota.

Enquanto os mamelucos golpeavam Acre, os cristãos fizeram algumas tentativas vãs de lançar contra-ataques. Estacionado na costa norte, Abu'l Fida descreveu como "um navio (latino) chegou com uma catapulta nele montada, que lançou projéteis sobre nós e nossas tendas a partir do mar". Guilherme, o mestre dos templários, e Oto de Grandson também tentaram um ousado ataque noturno, na esperança de provocar estrago no acampamento inimigo e incendiar um dos enormes trabucos mamelucos. A empreitada malogrou quando alguns cristãos tropeçaram nas cordas de sustentação das tendas muçulmanas, provocando uma confusão. Alertados, grupos de mamelucos correram para a agitação, afugentaram os francos, matando dezoito cavaleiros. Um desafortunado latino "caiu no fosso da latrina de um dos destacamentos do emir e foi morto". Na manhã seguinte, os muçulmanos orgulhosamente apresentaram as cabeças dos inimigos abatidos ao sultão.[24]

Em 8 de maio, o avanço inexorável de Khalil tinha levado as linhas mamelucas suficientemente perto da cidade para os sapadores começarem a trabalhar para derrubar as muralhas externas. Eles rapidamente usaram a rede de esgotos de Acre em seu favor, fazendo dessas saídas o começo de seus túneis. Como no cerco à mesma cidade durante a Terceira Cruzada, em 1191, o trabalho de solapamento concentrou-se particularmente no canto nordeste da cidade, mas com Acre agora protegida por duplas muralhas, existiam mais linhas de defesa a serem rompidas. A primeira ruiu perto da Torre do Rei, numa terça-feira, dia 15 de maio, e na manhã seguinte as tropas de Khalil assumiram controle desta seção das muralhas externas. Com o pânico aumentando na cidade, mulheres e crianças começaram a ser evacuadas em navios.

O sultão agora preparava os mamelucos para um assalto frontal, com todo seu poderio, pela brecha da Torre do Rei em direção às muralhas internas e à Torre Amaldiçoada. No alvorecer de 18 de maio de 1291, uma sexta-feira, o sinal de ataque foi dado – os troantes tambores de guerra que criavam "um ruído terrível, aterrador" – e milhares de muçulmanos, correndo, começaram a avançar. Alguns atiravam frascos de fogo grego, enquanto arqueiros lançavam flechas "numa nuvem espessa (que) parecia cair como chuva dos céus". Devido à força surpreendente deste ataque, os mamelucos arrebentaram por dois portões perto da Torre Amaldiçoada e começaram a correr para a cidade propriamente dita. Com as defesas de Acre rompidas, os francos tentaram um único e desesperado lance para conter a incursão, mas uma testemunha ocular admitiu que atacar a horda muçulmana era como se arremessar "contra uma parede de pedra". No calor da luta, o mestre templário Guilherme de Beaujeu foi mortalmente ferido quando uma lança perfurou-lhe o lado. Já João de Villiers, mestre hospitalário, recebeu uma lançada entre os ombros enquanto lutava. Gravemente ferido, foi arrastado para longe das muralhas.

Em breve, os defensores cristãos foram derrotados, e o saque de Acre começou. Um latino, então na cidade, escreveu que o "dia era terrível de se encarar; (os habitantes civis da cidade) fugiam pelas ruas, com os filhos nos braços, chorando e se desesperando, correndo em direção aos marinheiros para que fossem salvos da morte". Porém, caçados sem piedade, centenas foram massacrados. As crianças, abandonadas, acabaram pisoteadas. Abu'l Fida confirmou que "os muçulmanos mataram grande número de pessoas e juntaram imensas (quantidades) de pilhagem" depois que Acre caiu. Enquanto os mamelucos se espalhavam pela cidade, centenas de latinos desesperados tentavam escapar em qualquer barco remanescente, e um caos total se instalou nas docas. Alguns conseguiram fugir, inclusive o rei Henrique III e Oto de Grandson. Meio morto, João de Villiers foi carregado para um barco e posto em segurança. Mas o patriarca latino caiu na água e se afogou quando seu barco superlotado ficou instável. Em outras partes, os latinos preferiram ficar e encarar o destino. As tropas de Khalil encontraram um grupo de frades dominicanos cantando "Veni, Creator Spiritus" – o mesmo hino entoado por Joinville em 1248 – em seu convento. Apenas um religioso sobreviveu.[25]

Muitos cristãos buscaram refúgio nas dependências fortificadas das três principais Ordens Militares, e alguns conseguiram resistir durante dias. A robusta cidadela templária foi eventualmente solapada e ruiu em 28 de maio, matando os que nela estavam. Os que se abrigaram no prédio dos hospitalários se entregaram diante da promessa de Khalil de lhes dar um salvo-conduto, mas crônicas muçulmanas testemunham o fato de que o sultão quebrou deliberadamente essa promessa, levando os prisioneiros cristãos para fora da cidade e para as planícies ao redor dela. Quase exatamente cem anos antes, Ricardo Coração de Leão também havia quebrado sua promessa de clemência à guarnição aiúbida de Acre, executando cerca de 2.700 cativos. Agora, em 1291, Khalil reuniu os latinos em grupos e "os massacrou da mesma maneira que os francos haviam feito com os muçulmanos. Assim, Deus Todo-Poderoso foi vingado em seus descendentes".

A queda de Acre foi um desastre final e fatal para os cristãos latinos do Ultramar. Lembrando o saque da cidade, uma testemunha ocular franca que fugiu de barco declarou que "ninguém poderia reproduzir adequadamente as lágrimas e a dor daquele dia". O mestre hospitalário João de Villiers sobreviveu para escrever uma carta à Europa descrevendo suas experiências, embora admitisse que seu ferimento tornava difícil a escrita:

> Eu e alguns de nossos irmãos escapamos, segundo os desígnios de Deus, a maioria ferida e abatida sem esperança de cura, e fomos levados para a ilha de Chipre. No dia em que esta carta foi escrita, ainda estávamos lá, com grande aflição nos corações, prisioneiros de uma tristeza avassaladora.

Em contraste com isso, para os muçulmanos a gloriosa vitória de Acre confirmou a eficácia da fé, selando o triunfo na guerra pela Terra Santa. Uma testemunha descreveu com espanto como "depois da captura de Acre, Deus colocou o desespero nos corações de outros francos deixados na Palestina". A resistência cristã ruiu. Em um mês, os últimos postos avançados de Tiro, Beirute e Sídon tinham sido evacuados ou abandonados pelos francos. Naquele agosto, os templários saíram de suas fortalezas de Tortosa e do Castelo dos Peregrinos. Com isto, os dias do Ultramar – os assentamentos cruzados do interior do Levante – chegaram ao fim. Refletindo sobre a maravilha deste evento, Abu'l Fica escreveu:

> Estas conquistas (significaram que) toda a Palestina estava agora em mãos muçulmanas, resultado que ninguém ousaria esperar ou desejar. Assim, a (Terra Santa foi) purificada dos francos, que outrora estiveram a ponto de conquistar o Egito e subjugar Damasco e outras cidades. Deus seja louvado![26]

CONCLUSÃO
O LEGADO DAS CRUZADAS

Com a queda de Acre e a perda das últimas fortalezas remanescentes do Ultramar, a presença militar e política da cristandade latina no interior do Levante chegou a um fim definitivo. A conquista final dos Estados cruzados ajudou ainda mais a validar a autoridade mameluca, e o poder do sultanato no Oriente Próximo durou mais de dois séculos. No Ocidente, contudo, o colapso do Reino de Jerusalém causou um choque e uma ansiedade generalizados. Não é de surpreender que explicações tenham sido buscadas e recriminações levantadas. Os francos levantinos foram escarnecidos por seus pecados e propensão às facções, as Ordens Militares criticadas por perseguirem interesses internacionais em vez de se concentrarem na defesa da Terra Santa.

Os contatos comerciais entre a Europa e o Oriente Próximo muçulmano continuou até bem depois de 1291, e Chipre permaneceu sob controle franco até o século XVI. Mas o Levante continuou a ser um objetivo da guerra santa. A partir dos anos 1290, muitos tratados detalhados foram feitos na Europa, propondo vários planos e métodos para garantir a reconquista de Jerusalém. Novas expedições ao Oriente Próximo foram discutidas, algumas até lançadas – uma chegou a culminar com uma breve captura do porto egípcio de Alexandria em 1365. Durante o século XIV e para além dele, muitas outras cruzadas foram pregadas, e guerras travadas contra outros heréticos, como os turcos otomanos e os inimigos políticos do papado. Os templários foram dissolvidos por uma ordem em 1312, depois de acusações de abusos e negligência lançadas por um ambicioso monarca franco, mas outras

Ordens Militares sobreviveram por toda a Idade Média. Os hospitalários estabeleceram novos quartéis, primeiro em Chipre, depois em Rodes e, mais tarde, em Malta, enquanto a Ordem Teutônica instalava seu próprio estado independente no Báltico. Contudo, apesar disso tudo, nenhuma cruzada voltou a reclamar a Terra Santa, e o domínio do Islã sobre o Levante só se enfraqueceu no início do século XX.[27]

CAUSAS E RESULTADOS

Para começar, as cruzadas podem ser consideradas, no mínimo, tanto atos de agressão cristã como guerras de defesa. Certamente é verdade que o Islã havia iniciado sua onda de invasões e expansão não provocada a partir do século VII, mas o vigor mercurial desse massacre há muito havia se abrandado. A Primeira Cruzada não foi lançada em resposta a uma ameaça impressionante e iminente, nem se tratou do resultado imediato de uma perda catastrófica. Jerusalém, o objetivo declarado da campanha, havia sido conquistada pelos muçulmanos cerca de quatro séculos antes – longe, portanto, de um dano que pudesse ser considerado à época. As acusações de abuso, generalizado ou sistemático, de súditos ou peregrinos cristãos pelos senhores islâmicos do Levante também parecem, na verdade, ter pouca base. Depois do aparente sucesso miraculoso da Primeira Cruzada e a fundação dos Estados cruzados, a guerra pela Terra Santa foi perpetuada por ciclos de violência, vingança e reconquista, em que cristãos e muçulmanos igualmente perpetraram atos de selvageria e brutalidade.

Um conflito diferente de todos os outros?

Por dois séculos, diversas forças se combinaram para incitar e propulsar esta luta: da ambição dos papas em obter a primazia eclesiástica de Roma "divinamente ordenada" às aspirações econômicas dos mercadores italianos; as noções sociais de obrigação social e laços de parentesco a um emergente senso de dever cavalheiresco. Os líderes – muçulmanos e cristãos, seculares e espirituais – perceberam que os ideais da guerra santa podiam ser usados para justificar desde programas de unificação e militarização, até facilitar a imposição de uma governança autocrática. Neste sentido, as guerras cruzadas pertencem a um paradigma comum a muitos períodos da história humana – a tentativa de controlar e direcionar a violência, ostensivamente pelo bem comum, mas amiúde para servir aos interesses das elites governantes.

No caso das cruzadas latino-cristãs e a *jihad* islâmica, contudo, esse bem-estar "público" estava imbuído de uma convincente dimensão religiosa. Isto não levou necessariamente a um conflito marcado unicamente por atos bárbaros de violência ou inimizade particularmente enraizada. Mas significou efetivamente que muitos desses envolvidos no contexto de controle da Terra Santa acreditavam sinceramente que suas ações eram impregnadas de preocupações espirituais. Papas como Urbano II e Inocêncio III pregaram cruzadas para afirmar sua própria autoridade, mas também fizeram isso na esperança de ajudar os cristãos a encontrar um caminho para a salvação. Os cruzados venezianos podem ter tido um olho no lucro material, mas como outros participantes dessas guerras santas, parecem ter sido movidos por um sincero desejo de obter uma recompensa espiritual. Mesmo um senhor da guerra faminto de poder como Saladino – contente em explorar a luta para atender a seus próprios objetivos – evidentemente experimentou um estimulante senso de piedosa dedicação à reconquista e defesa de Jerusalém. É claro que nem todos os cruzados, colonos francos ou guerreiros muçulmanos sentiram essas motivações religiosas em igual medida, mas o pulsar da fé, pungente e duradouro, ressoou ao longo da batalha de dois séculos de duração pelo Levante. Este elemento devocional infundiu a essas guerras um caráter distinto, inspirando notáveis feitos de resistência, coragem e, algumas vezes, intolerância. Também ajuda a explicar como e por que dezenas de milhares de cristãos e muçulmanos continuaram a participar dessa luta prolongada durante tantas décadas. O entusiasmo do Islã do Oriente Próximo é mais facilmente entendido. A *jihad* era uma obrigação devocional, e não uma forma voluntária de penitência. Graças a isso, gerações de muçulmanos encontraram inspiração numa crescente sucessão de vitórias zênguidas, aiúbidas e mamelucas. O apelo permanente da cruzada na Europa Ocidental fica mais surpreendente se o considerarmos contra um pano de fundo de uma interminável sequência de derrotas deprimentes e do redirecionamento das guerras santas para novos palcos de conflito. O próprio fato do recrutamento continuado, ao longo dos séculos XII e XIII e para além deles, ilustra o fascínio convincente da aceitação da cruz – em participar de uma empreitada que fundia os ideais do serviço militar e da penitência – e, em última instância, da purificação da alma dos pecados. A partir de 1095, os cristãos latinos aceitaram totalmente a ideia de que a cruzada era uma forma permissível e eficaz de devoção. Não existe praticamente nenhum sinal de preocupação com a união de violência e religião entre os contemporâneos medievais. E mesmo quando a crítica do movimento cruzado ganhava fôlego, ela se levantava quando relacionada a questões como a oscilação entre compromisso e finanças, e não o princípio de que Deus apoiava e recompensava as guerras travadas em seu nome.[28]

Contabilizando vitória e derrota

Assim como a continuada atração pela cruzada, a sobrevivência associada do Ultramar franco por quase 200 anos é algo notável. Mesmo assim, não há como escapar do fato que, no final das contas, os latinos perderam a guerra pela Terra Santa. O caminho iniciado com o sucesso da Primeira Cruzada em 1099 até a queda de Acre em 1291 não foi de modo algum uma simples espiral de derrota e decadência. Mas, da mesma forma, do fracasso da Segunda Cruzada em Damasco em 1148 à ignominiosa captura do rei franco Luís IX no Egito em 1240, não se pode afirmar que tenha havido uma maré de sucesso. Sempre que os historiadores buscaram explicar essa tendência, o foco geralmente se volta para o Islã – para o suposto ressurgimento do entusiasmo pela *jihad* e o desvio para a unificação muçulmana pelo Oriente Próximo e Médio. Contudo, na realidade, até o advento dos mamelucos, o entusiasmo pela guerra santa foi esporádico, e um acordo panlevantino, quando muito, efêmero. É claro que os acontecimentos envolvendo o Islã tiveram um impacto efetivo sobre o resultado das cruzadas, mas outras questões também devem ser levadas em consideração, talvez ainda mais poderosas.

A própria natureza da cruzada foi uma causa fundamental da derrota definitiva do cristianismo na luta pelo controle do Mediterrâneo Oriental. A ideia da guerra santa não permaneceu estática entre 1095 e

1291. Ela esteve sujeita à evolução e ao desenvolvimento – embora estas mudanças não tenham sido sempre aparentes para os contemporâneos – e passou por alguns ajustes em respostas a desenvolvimentos mais amplos do pensamento religioso, incluindo a incorporação da missão e da conversão como meio de suplantar oponentes não cristãos. Contudo, durante todas as expedições, houve uma má adaptação à tarefa de defender e reconquistar a Terra Santa. Para sobreviver, os Estados cruzados precisavam desesperadamente de assistência militar externa, mas sob a forma de forças militares permanentes (ou, pelo menos, de longa estada) e obedientes. Com mais frequência, os cruzados, na verdade, traziam injeções de curta duração de exércitos reunidos sem grande profissionalismo – amiúde adulterados por não combatentes – sob o comando de potentados de mente independente e fixa em seus próprios objetivos.

O fato de as necessidades do Ultramar não terem sido atendidas pelo movimento cruzado não deveria causar surpresa, pois esta forma de guerra santa não era expressamente destinada a cumprir esse propósito. Em vez disso, num nível elementar, as cruzadas foram organizadas como forma voluntária e pessoal de penitência. Os participantes podiam esperar a busca de um objetivo estabelecido – a captura de um determinado alvo ou a defesa de uma região. Também podiam se ver como quem cumpria a obrigação de um serviço devido a Deus, como levar socorro a seus companheiros cristãos, até mesmo imitando as obras e o sofrimento do próprio Cristo. Contudo, no cerne do impulso cruzado sempre estava a promessa de salvação individual: uma garantia de que as penalidades devidas pelos pecados confessos seriam canceladas pelo cumprimento de uma peregrinação armada. Este era o irresistível fascínio de uma cruzada – sua capacidade de erradicar a mácula da transgressão, de oferecer uma escapatória da danação. E foi por isto que centenas de milhares de latinos aceitaram a cruz durante a Idade Média.

A aura febril de religiosidade que envolveu a maioria das expedições cruzadas podia instilar uma unidade de propósito e uma determinação sem paralelo em seus participantes, capacitando-os a empreender inimagináveis feitos militares. Foi este senso de sanção divina e devoção espiritual que ajudou as tropas de Luís IX a sobreviver à Batalha de Mansura, que capacitou a Terceira Cruzada a suportar o cansativo cerco de Acre e permitiu que os francos arriscassem a total aniquilação quando marcharam sobre Jerusalém em 1099. Ardendo de entusiasmo, os cruzados conseguiam superar obstáculos aparentemente incontornáveis, mas esta paixão inflamada amiúde também demonstrou ser de um controle impossível. Os exércitos cruzados eram compostos por milhares de indivíduos, cada um deles tendo por objetivo supremo forjar seu próprio caminho para a redenção. Assim, não podiam ser conduzidos ou comandados da mesma forma que outras forças militares mais convencionais. Raimundo de Toulouse descobriu isto à sua própria custa em Marrat e novamente em Arqa durante a Primeira Cruzada; o mesmo ocorreu com Ricardo Coração de Leão quando duas vezes teve que bater em retirada de Jerusalém. Possivelmente, nenhum rei ou comandante cristão chegou a realmente aprender como controlar a força da tempestade que representava uma campanha pela libertação da Terra Santa.

Durante o século XIII, papas como Inocêncio III esforçaram-se por controlar as campanhas por meio de uma crescente regulamentação e pela institucionalização efetiva das cruzadas. Mas esbarraram no problema converso: como controlar o fervor sem abafar o fogo que fornecia sua força a essas campanhas santificadas? Os papas tampouco conseguiram encontrar uma fórmula prática, e novas ideias sobre a reconfiguração de toda a base da atividade nas guerras santas – com forças profissionais estacionadas de forma semipermanente no Oriente Próximo – vieram tarde demais e incitaram pouca resposta.

Alguns historiadores sugeriram que a cristandade foi derrotada na guerra pela Terra Santa devido a uma gradativa diminuição no entusiasmo pela causa depois de 1200 – um mal-estar supostamente provocado pela manipulação papal e pela diluição do "ideal". Esta opinião é um tanto simplista. É verdade que o século XIII não testemunhou enormes expedições como as que haviam pontuado o período entre 1095 e 1193, mas uma pletora de campanhas em menor escala ainda gozou de um substancial recrutamento, mesmo quando dirigida contra novos inimigos e em diferentes palcos de conflito. Quando muito, houve um declínio na preocupação direta da Europa latina quanto ao destino da Terra Santa, mas tal deterioração aparente tampouco deve ser exagerada. As enormes campanhas do século XII, em si mesmas, só foram geradas na esteira de choques sísmicos – a queda de Edessa e a Batalha de Hattin – e, caso contrário, a cristandade ocidental amiúde permaneceu imune aos urgentes apelos de ajuda do Ultramar. As preocupações e os problemas domésticos, provindos de disputas sucessórias e rivalidades dinásticas, bem como más colheitas e explosões de heresia, só poderiam alardear facilmente as necessidades dos Estados cruzados ameaçados. Por mais evocativo e poderoso que fosse o destino de Jerusalém e da Terra Santa, o decorrer da história das cruzadas prova que a maioria dos latinos da Europa não vivia num permanente estado de inquietação com relação aos eventos do Oriente e, assim, raramente se mostravam dispostos a arriscar a vida que tinham em seus lares para salvar um local distante, por mais sagrado que fosse. Na realidade, esta era a tarefa de uma outra função, decididamente prática, que teve impacto sobre o desfecho da batalha pelo Oriente Próximo. Em termos físicos e conceituais, o Levante simplesmente ficava muito distante da Europa Ocidental. Os cristãos que viviam na França, Alemanha ou Inglaterra enfrentavam viagens cobrindo milhares de quilômetros para chegar à Terra Santa. As imensas distâncias envolvidas provocavam significativas dificuldades quando se tratava de montar expedições militares ou mesmo manter contato regular com os assentamentos latinos no Oriente. A comparação está longe de perfeita, mas a outra grande contenda territorial entre latinos e muçulmanos – a chamada *Reconquista* espanhola – terminou com a vitória cristã pelo menos em parte devida ao fato básico da relativa proximidade geográfica da Península Ibérica com o resto da Europa. Os problemas de distanciamento do Ultramar foram parcialmente aliviados pelo surgimento das Ordens Militares como instituições supranacionais e pelo crescimento do comércio transmediterrâneo, mas o afastamento nunca foi totalmente superado. Ao mesmo tempo, os francos levantinos não conseguiram cooperar total ou efetivamente com os aliados cristãos ocidentais, do Império Bizantino à Armênia Cilícia, que poderiam ter ajudado a mitigar seu isolamento, mas se permitiram enredar em incontáveis e bastante desordenadas lutas pelo poder.

Por todos esses motivos, o Ultramar viu-se num precário estado de vulnerabilidade durante a maior parte dos séculos XII e XIII. Contudo, foi necessário um grau concomitante de força e vantagem para que o Islã fosse capaz de explorar a fraqueza dos francos. As batalhas das cruzadas não foram travadas, em primeiro lugar, no coração político e cultural da religião de Maomé, mas na zona fronteiriça entre o Egito e a Mesopotâmia. Tampouco a Terra Santa pode ser caracterizada como uma sociedade uniformemente muçulmana. Mesmo assim, em longo prazo, o Islã realmente se beneficiou da proximidade do campo de batalha levantino e do fato inevitável de que estava travando uma guerra no que era equivalente ao solo natal. O mundo muçulmano também foi levado à vitória nesta luta prolongada por lideranças esclarecidas e carismáticas oferecidas por Nur al-Din e Saladino, bem como pela implacável crueldade de Baybars.[29]

CONSEQUÊNCIAS PARA O MUNDO MEDIEVAL

As cruzadas têm sido apresentadas como uma conflagração internacional que remodelou o mundo, conduzindo a Europa da Idade das Trevas para a luz da Renascença, ou levando o Islã, militarizado e radicalizado na busca pela vitória, a séculos de estagnação insular. Alguns caracterizaram estas lutas sagradas como conflitos apocalípticos que deixaram cicatrizes indeléveis de ódio étnico e religioso que deram início a um infindável ciclo de hostilidade. Essas grandiosas afirmativas repousam na simplificação e no exagero. Imensas mudanças foram indubitavelmente produzidas no mundo medieval entre 1000 e 1300. Este foi um período marcado pelo crescimento populacional, pela imigração e urbanização, além de avanços no aprendizado, na tecnologia, na expressão cultural e expansão do comércio internacional. Contudo, o papel preciso das cruzadas permanece discutível. Qualquer tentativa de localizar com precisão o efeito deste movimento é cercada por dificuldade, pois exige o traçado e o isolamento de um único fio da urdidura da história – e a reconstrução hipotética do mundo, se esse fio tiver que ser removido. Alguns impactos são relativamente claros, mas muitas observações devem necessariamente se confinar a generalizações amplas.

É certo que a guerra pela Terra Santa não foi a única influência em ação na Idade Média. Mas, da mesma forma, esta luta levantina realmente teve um impacto significativo na história medieval, particularmente na bacia do Mediterrâneo.

O Mediterrâneo Oriental

As ameaças representadas pelos francos, tanto reais quanto imaginárias, apresentaram ao mundo muçulmano um inimigo a ser rechaçado e uma causa para lutar. Isto possibilitou a Nur al-Din e, tempos depois a Saladino, ressuscitar o ideal da *jihad*. Também lhes permitiu impor um grau de unidade ao Islã do Oriente Próximo e Médio que, embora imperfeito, ainda ultrapassava qualquer coisa testemunhada desde o início da era da expansão muçulmana. O processo atingiu sua expressão máxima com o acréscimo do perigo preponderante representado pelos mongóis, quando os mamelucos forjaram um estado unitário sob Baybars e Qalawun. Contudo, apesar de todo o contato entre muçulmanos e latinos testemunhado nesta era – por meio da guerra e da paz –, a atitude do Islã para com a cristandade ocidental não foi radicalmente alterada. Os velhos preconceitos permaneceram, entre eles os falsos conceitos populares concernentes à adoração de Cristo como Deus e vistos como indicação de politeísmo, bem como a antipatia enraizada contra o uso de imagens religiosas, proibidas no Islã, e as inflamadas afirmativas sobre a impropriedade sexual dos francos. A familiaridade não parece ter resultado num modo de compreensão ou tolerância. Mas, da mesma forma, contrariando a sugestão de alguns estudiosos, o advento das cruzadas não provocou uma generalizada deterioração nas relações dos muçulmanos com os cristãos orientais autóctones. Houve alguns sinais intermitentes de atitudes, particularmente nos casos em que os cristãos nativos viviam sob um governo islâmico foram suspeitos de ajudar os francos ou de espionar para eles, mas, em geral, pouco mudou até o surgimento dos mamelucos, que eram mais fanáticos.

Para o Islã e o Ocidente, talvez a transformação mais surpreendente operada pelas cruzadas se relacione com o comércio. Os muçulmanos levantinos já vinham mantendo alguns contatos comerciais com a Europa antes da Primeira Cruzada, por meio de comerciantes italianos que chegavam por mar, mas o volume e a importância dessa interação econômica foram revolucionados durante os séculos XII e XIII, em grande parte como resultado da presença latina na costa oriental do Mediterrâneo. Os cruzados e a presença dos Estados cruzados reconfiguraram as rotas comerciais do Mediterrâneo – talvez de maneira muito mais intensa depois da conquista de Constantinopla em 1204 – e desempenharam um papel decisivo na consolidação do poder das cidades mercantis italianas de Veneza, Pisa e Gênova. A adoção dos numerais arábicos pela Europa também pode ser datada de, mais ou menos, 1200, provável resultado do comércio com o Islã, embora este não possa ser definitivamente ligado ao contato com o mundo "cruzado".

Os francos que residiam no Ultramar não viviam num ambiente hermeticamente fechado. A realidade pragmática e a conveniência política, militar e comercial significavam que esses latinos eram postos em frequente contato com os povos nativos do Levante, incluindo os muçulmanos, os cristãos orientais e, mais tarde, os mongóis. Desta forma, as cruzadas criaram ambientes fronteiriços em que os europeus podiam interagir com a cultura "oriental" e, em teoria, absorvê-la. A sociedade "cruzada" que se desenvolveu no Ultramar certamente foi marcada por um certo grau de assimilação, embora ainda seja incerto se isso foi resultado de uma escolha consciente ou um processo orgânico. Não pode haver dúvida de que o meio social encontrado no Oriente latino era totalmente único. Isto não era resultado de grau sem precedente de ligação com o Islã – na verdade, este tipo de contato era comum, ou mais que comum, na Península Ibérica e na Sicília medievais; tampouco era consequência na guerra santa em andamento no Oriente Próximo. Em vez disso, o caráter distinto do Ultramar "cruzado" nasceu de um extraordinário repertório de diferentes influências levantinas encontradas – de gregas e armênias a siríacas, judaicas e, é claro, muçulmanas, além das europeias ocidentais, provindas de lugares como a França, a Alemanha, a Itália e os Países Baixos.[30]

A Europa Ocidental

Há muito, os historiadores reconhecem que a interação entre a cristandade ocidental e os mundos muçulmano e mediterrâneo mais amplo durante a Idade Média desempenhou um papel importante, talvez até decisivo, no avanço da civilização europeia. Estes contatos resultaram na absorção de influências artísticas e na transferência do conhecimento científico, médico e filosófico – que ajudaram a estimular mudanças de longo alcance no Ocidente e acabaram por contribuir para a Renascença. Avaliar a importância relativa de diferentes esferas de contato dentro desse processo é totalmente impossível. Assim, embora a arte e a arquitetura do Levante latino exibissem inquestionáveis sinais da fusão entre culturas, os estilos "cruzados" de iluminura de manuscritos ou de projeto de castelos não podem confiavelmente ter origem no Ocidente e ser categoricamente isolados como a única inspiração para qualquer exemplar europeu. Por sua natureza, a transmissão textual de conhecimento é mais fácil de traçar. Nesta área de trocas, o Ultramar desempenhou um papel notável – como testemunham as traduções feitas em Antioquia –, mas sua importância era secundária para a pletora de textos copiados e traduzidos que jorravam da Península Ibérica na Idade Média. Quando muito, podemos concluir que as cruzadas abriram uma porta para o Oriente, mas que não era, de forma alguma, o único portal de contato.

Outras formas de mudança provocadas pelas cruzadas na Europa latina podem ser facilmente determinadas. Num nível prático, as expedições em larga escala tivera um enorme impacto político, social e econômico sobre regiões como a França e a Alemanha, culminando no desaparecimento ininterrupto de grupos familiares inteiros e partes da nobreza. A ausência de classes governantes, bem como de monarcas especialmente coroados, poderia provocar uma generalizada instabilidade e até uma mudança de regime. O advento das Ordens Militares e a difusão de seu poder para praticamente todos os cantos do Oriente teve um efeito óbvio e profundo sobre a Europa medieval – como novos e formidáveis atores no palco latino, estas ordens tinham o poder de rivalizar com as autoridades seculares e eclesiásticas estabelecidas. A popularidade das cruzadas serviu para incrementar a autoridade do papado e reconfigurar a prática da realeza medieval. Ela também influenciou as noções emergentes do título de cavaleiro e da cavalaria. Ao criar uma nova forma de atividade penitencial, essas guerras santas também alteraram a prática devocional – um processo que se acentuou marcadamente no século XIII com a vasta extensão da pregação da cruzada, a comutação de votos e o sistema de indulgências.

Por todo este período, é verdade que mais cristãos latinos permaneceram no Ocidente que os que se engajaram na cruzada ou lutaram na guerra pela Terra Santa. Mas, deste mesmo ponto de vista, entre 1095 e 1291, poucos dos que viviam na Europa ficaram totalmente incólumes às cruzadas – seja pela participação, taxação ou pela formulação mais ampla de uma identidade latino-cristã comunal dentro da socidade.[31]

A SOMBRA MAIS LONGA

Em 1998, uma rede terrorista radical, que se descrevia como a "Frente Islâmica Mundial", declarou sua intenção de lançar a "guerra santa contra judeus e cruzados". Esta organização, comandada por Osama bin Laden, passou a ser conhecida como al-Qaeda (literalmente, a "base" ou "alicerce"). Cinco dias após os ataques de 11 de setembro da al-Qaeda a Nova York e Washington em 2001, o presidente americano George W. Bush caminhou pelo gramado sul da Casa Branca e, diante de um enorme grupo de jornalistas internacionais, afirmou a disposição dos Estados Unidos de defender seu solo, advertindo que "esta cruzada, esta guerra contra o terrorismo, vai levar algum tempo". Mais tarde, em outubro daquele mesmo ano, bin Laden respondeu à invasão aliada do Afeganistão que se aproximava. Ele caracterizou-a como uma "cruzada cristã", afirmando que "esta é uma guerra recorrente. A cruzada original movimentou líderes como Ricardo da Inglaterra, Luís da França e Frederico Barbarroxa da Alemanha. Hoje os países cruzados se apressaram a agir assim que Bush ergueu a cruz. Eles aceitaram a regra da cruz".[32]

Como é possível que esta linguagem de guerra santa medieval tenha encontrado lugar em conflitos modernos? Esta retórica parece sugerir que as cruzadas, de alguma forma, continuaram intensas desde a Idade Média, deixando o Islã e o Ocidente posicionados um contra o outro – presos numa guerra religiosa inacabável e amarga. Na verdade, não existe uma linha ininterrupta de ódio e discórdia ligando a contenda medieval pelo controle da Terra Santa e as lutas de hoje de Oriente Próximo e Médio. As cruzadas, na realidade, são um exemplo poderoso, alarmante e, mesmo agora, no início do século XXI, inequivocamente perigoso do potencial da história de ser apropriada, erroneamente representada e manipulada. Elas também provam que um passado construído ainda pode criar sua própria realidade, pois as cruzadas passaram a ter uma profunda importância em nosso mundo moderno, mas quase inteiramente por meio da instância da ilusão.

Entre as causas de raiz deste fenômeno está a separação entre interesse popular e coletivo pela era das cruzadas medievais e sua percepção no que se poderia denominar de forma ampla o mundo muçulmano e o Ocidente. Num nível básico, esta diferença pode ser mostrada na terminologia. A partir de meados do século XIX, as cruzadas passaram a ser conhecidas, em árabe, como *al-hurub al-Salabiyya* (as guerras "da Cruz", um termo que destaca os elementos da fé cristã e do conflito militar). Nas línguas europeias, contudo, a palavra "cruzada" tem sido grandemente dissociada de suas origens medievais e devocionais – agora denotando a luta pelos interesses de uma causa amiúde apresentada como justa. O termo "cruzada" é bastante empregado de maneira casual pela mídia e cultura popular no Ocidente. Na verdade, é possível falar de uma cruzada contra o fanatismo religioso e até de uma cruzada contra a violência. A interpretação ocidental da palavra árabe *jihad* é igualmente imprópria. Muitos muçulmanos acham que sua ideia, antes de mais nada, refere-se a uma luta espiritual interna. Mas no Ocidente a palavra é normalmente vista como tendo um único significado: o deslanchar de uma guerra santa física. Como acontece com tantas de nossas modernas atitudes com relação à era das cruzadas, este problema de terminologia só surgiu nos últimos dois séculos. Até certo ponto, contudo, a divergência entre as memórias e percepções ocidentais e islâmicas ocorreu imediatamente após a erradicação do Ultramar.

Percepções da Baixa Idade Média e do início da era moderna

Entre os séculos XIV e XVI, com a Europa ainda engajada nas lutas contra os inimigos muçulmanos (notavelmente o Império Turco-otomano), as cruzadas medievais adquiriram uma condição semimística. Com certeza, os supostos "heróis" centrais foram endeusados. Godofredo de Bulhão foi incluído, ao lado de heróis como Alexandre, o Grande e César Augusto, entre os "Nove Beneméritos" – figuras mais reverenciadas da história humana. Ricardo Coração de Leão foi celebrado como um lendário rei-guerreiro, embora Saladino também fosse efetivamente louvado por seu comportamento cavalheiresco e seu nobre caráter. Na concepção de Dante do pós-vida, reproduzida em sua famosa *Divina Comédia* (1321), Saladino aparece no primeiro nível do Inferno, o plano reservado para os pagãos virtuosos.

Entretanto, com a chegada da Reforma Protestante depois de 1517 e, mais tarde, o nascimento do Iluminismo, os teólogos e estudiosos europeus empreenderam uma ampla reavaliação da história cristã. No século XVIII, os cruzados foram consignados a um passado medieval sombrio e distintamente indesejável. O estudioso britânico Eduardo Gibbon, por exemplo, afirmou que essas guerras santas foram a expressão do "selvagem fanatismo" nascido da fé religiosa. O intelectual francês Voltaire, por seu lado, condenou o movimento cruzado como um todo, mas reservou certa admiração por alguns indivíduos – como o rei Luís IX, louvado por sua piedade, e ainda Saladino, descrito como "um bom homem, um herói e um filósofo".[33]

Em contraste, durante todo o final do período medieval e o início dos modernos períodos de domínio mameluco e otomano, no Islã do Oriente Próximo e Médio, as cruzadas receberam pouca atenção. A maioria dos muçulmanos parece ter visto a guerra pela Terra Santa como um conflito bastante irrelevante, travado numa era passada. É verdade que os francos bárbaros tinham invadido o Levante e praticado atos de violência, mas foram fragorosamente punidos e derrotados. O Islã, de maneira muito natural, havia prevalecido, e a era da intrusão franca foi levada a um final inequívoco e triunfante. Quando figuras "heroicas" eram citadas como exemplos desse período, tendiam a se diferenciar das que o Ocidente elegia. Muito menos atenção foi dedicada a Saladino. Em vez dele, o aplaudido era Nur al-Din, por sua piedade, enquanto Baybars tornou-se proeminente no folclore a partir do século XV. Em todos esses séculos, não parece ter havido a percepção de que a agressão da cruzada tenha desencadeado uma perpétua guerra santa, ou que as atrocidades francas de alguma forma ainda exigiam retribuição.[34]

Para entender como os cruzados emergiram dos cantos empoeirados da história, aparentemente para se tornarem relevantes para o mundo moderno, o estudo acadêmico e a recordação dessas guerras, a partir de 1800, devem ser traçados no Islã e no Ocidente.

As cruzadas na história e na memória do Ocidente

No início do século XIX, um amplo consenso, acordado pelo pensamento iluminista, surgiu no Ocidente. Os cruzados medievais foram desdenhados por seu barbarismo bruto e equivocado, embora ocasionalmente louvados por sua bravura. Contudo, as atitudes logo foram temperadas por um forte apelo de romantismo por uma visão mais idealizada da Idade Média, evocado na ficção amplamente popular e muitíssimo influenciadora do romancista britânico Sir Walter Scott. Seu romance *O talismã* (1825), ambientado na época da Terceira Cruzada, retratou Saladino como o "bom selvagem", galante e sábio, enquanto apresentava o rei Ricardo I como um brutamonte tempestuoso. O livro de Scott e outras obras suas, como *Ivanhoé* (1819), além de outras, de diferentes autores, ajudaram a engendrar uma visão das cruzadas como grandes e ousadas aventuras.[35]

Por essa mesma época, alguns estudiosos europeus começaram a se engajar no paralelismo histórico – o desejo de ver o mundo moderno refletido no passado –, apresentando as cruzadas e a criação dos Estados cruzados em termos triunfalistas como exercícios louváveis de protocolonialismo. A tendência deu início ao processo de separar a cruzada (e o próprio termo "cruzada") de seu contexto religioso e devocional, permitindo que a guerra pela Terra Santa fosse celebrada como um empreendimento essencialmente secular. Escrevendo no início do século XIX, o historiador francês François Michaud publicou um relato em três volumes, amplamente divulgado, dessas guerras santas (juntamente com outros quatro volumes de fontes), salpicados com afirmativas equivocadas e falsas representações da história. Michaud aplaudiu a "glória" obtida pelos cruzados, observando que seu objetivo era "a conquista e a civilização da Ásia". Ele também identificou a França como o epicentro espiritual e conceitual do movimento, afirmando que ela "um dia se tornaria o modelo e o centro da civilização europeia. As guerras santas contribuíram em muito para este feliz acontecimento e podemos perceber isto a partir da Primeira Cruzada". As publicações de Michaud foram produto de potentes sentimentos de nacionalismo francês, bem como de estímulo a ele – um impulso a formular uma identidade nacional que via a guerra pela Terra Santa envolta em uma fabricada reconstrução da história "francesa".[36]

Romantizado, o entusiasmo nacionalista pelas cruzadas não foi de nenhum modo uma reserva francesa. O recém-criado estado da Bélgica adotou Godofredo de Bulhão como seu herói, enquanto, do outro lado da Mancha, Ricardo Coração de Leão foi encampado como um icônico campeão inglês. A estátua de Godofredo de Bulhão se ergue no *Grand Place* de Bruxelas, enquanto Ricardo Coração de Leão, sobre seu cavalo e espada em riste, se encontra no exterior das Casas do Parlamento em Londres. Por todo o século XIX, as gavinhas do interesse se espalharam por todas as partes. O político britânico Benjamin Disraeli, por exemplo, ficou fascinado pelas cruzadas; empreendeu uma viagem ao Oriente Próximo em 1831 (muitos anos antes de ser eleito para o Parlamento e depois tornar-se primeiro-ministro), sendo que depois publicou um romance, *Tancredo: ou a Nova Cruzada*, sobre um jovem nobre com uma tradicional cruzada. O escritor norte-americano Mark Twain também percorreu a Terra Santa, visitando o campo de batalha de Hattin, e ficou muito impressionado ao ver uma espada, cuja posse era atribuída a Godofredo de Bulhão, que despertou "visões de romance (e a) memória das guerras santas".

Em 1889 o imperador Guilherme II da Alemanha chegou a incríveis extremos para pôr em prática suas fantasias cruzadas. Vestido com falsos trajes de gala medievais durante uma visita ao Levante, ele seguiu a cavalo até Jerusalém e, em seguida, a Damasco, para render sua homenagem a Saladino, a quem o *kaiser* considerava "um dos mais cavalheirescos governantes da história". Em 8 de novembro, depositou uma coroa de flores no túmulo um tanto dilapidado do sultão aiúbida e, mais tarde, pagou a restauração de seu mausoléu.[37]

É claro que nem todos os estudos ocidentais sobre os cruzados desse período foram coloridos com noções fantasiosas de romantismo e imperialismo nacionalista. Nessa mesma época, uma forte tendência a uma abordagem mais precisa, isenta e empírica estava tomando fôlego. Mas ainda na década de 1930, quando o historiador francês René Grousset fez comparações entre o envolvimento da França nas cruzadas e a volta do domínio desse país sobre a Síria no início do século XX. Esse foi um dos relatos mais apaixonados, intempestivos e que exerceram maior influência sobre a visão popular. O poderio e os perigos potenciais do paralelismo moderno, aparentemente fáceis, ficam aparentes no contexto da Primeira Guerra Mundial. Durante esta conflagração, foi concedido à França um mandato para governar a "Grande Síria" pela Liga das Nações – e diplomatas franceses procuraram reforçar as reivindicações a esse território citando a história das cruzadas.

Os britânicos, enquanto isso, receberam um mandato para administrar a Palestina. Chegando a Jerusalém em dezembro de 1917, o general Edmund Allenby estava evidentemente cônscio da ofensa que poderia provocar no âmbito do Islã se apelasse para a retórica cruzada ou o triunfalismo (mesmo porque havia tropas muçulmanas servindo no exército britânico). Em forte contraste com o imperador Guilherme II, Allenby entrou na Cidade Santa a pé, e dizem que deu ordens estritas proibindo suas tropas de quaisquer referências às cruzadas. Infelizmente, sua precaução não impediu que parte da mídia britânica brincasse com supostos ecos medievais do evento. Na verdade, o periódico satírico inglês *Punch* publicou uma caricatura intitulada "A última cruzada", representando Ricardo Coração de Leão olhando para Jerusalém do alto de uma colina, com a legenda: "Meu sonho se tornou realidade". Mais tarde, espalhou o boato apócrifo, porém duradouro, de que o próprio Allenby teria proclamado: "Hoje terminaram as guerras das cruzadas".

Na verdade, nessa época, a palavra "cruzada" – já dissociada da religião – estava começando a se destacar, em língua inglesa, de suas raízes medievais. Em 1915 o primeiro-ministro David Lloyd George descreveu a Primeira Guerra Mundial como "uma grande cruzada" num discurso inflamado. Na época da Segunda Guerra Mundial, as ordens do general Dwight D. Eisenhower para o Dia D, emitidas em 6 de junho de 1944, continham esta exortação às tropas Aliadas: "Vocês estão para embarcar numa grande cruzada". O relato da guerra feito por esse general, em 1948, intitulou-se *Cruzada na Europa*.[38]

O Islã moderno e as cruzadas

Depois de exibir um período de marcado desinteresse, o mundo muçulmano começou a exibir as primeiras centelhas de renovada curiosidade com relação às cruzadas em meados do século XIX. Por volta de 1865, a tradução de histórias francesas por cristãos sírios de língua árabe levou aos primeiros usos do termo *al-hurub al-Salabiyya* (as guerras "da Cruz") para o que antes havia sido conhecido como as guerras dos *Ifranj* (os francos). Em 1872, um turco otomano, Namik Kemal, publicou a primeira biografia muçulmana "moderna" de Saladino – uma obra aparentemente escrita para refutar a história triunfalista de Michaud que havia sido recentemente traduzida para o turco. A visita do imperador Guilherme II ao Oriente Próximo em 1898 coincidiu, ou talvez a tenha fomentado, com outra explosão de interesse, pois no ano seguinte o estudioso egípcio Sayyid 'Ali al-Hariri produziu a primeira história árabe das cruzadas, intitulada *Esplêndidos relatos das guerras das cruzadas*. Neste livro, al-Hariri escreveu que o sultão otomano Abdulhamid II (1876-1908) recentemente havia procurado caracterizar a ocupação ocidental do território muçulmano como uma nova "cruzada", e afirmou que o sultão "observou acertadamente que a Europa agora está realizando uma cruzada contra nós sob a forma de campanha política". Por volta dessa mesma época, o poeta muçulmano Ahmad Shaqwui escreveu um questionamento em verso da causa de Saladino ter sido esquecido pelo Islã até o lembrete oferecido pelo *kaiser* Guilherme.[39]

Nos anos que se seguiram, muçulmanos da Índia à Turquia e o Levante começaram a comentar sobre a similaridade entre as ocupações cruzadas medievais e as modernas ingerências ocidentais – uma comparação que, é claro, havia sido oral e entusiasticamente exposta no Ocidente há décadas. Um crescente fascínio por Saladino como figura heroica muçulmana também ficou evidente pela abertura de uma nova universidade em Jerusalém com o nome do sultão em 1915. Estes dois fenômenos relacionados foram acelerados pelos eventos do final da Primeira Guerra Mundial: o estabelecimento de mandatos britânicos e franceses no Levante e a ampla reprodução da suposta referência de Allenby às cruzadas; e a generalizada popularização do paralelismo histórico na Europa. Em 1934, um proeminente autor árabe sugeriu que "o Ocidente ainda está lançando guerras de cruzada contra o Islã sob a forma do imperialismo político e econômico".

A mudança crítica, contudo, chegou depois da Segunda Guerra Mundial, com o mandato da ONU fundando o estado de Israel em 1948 – a realização do que foi chamado de sionismo. Nesse outubro, o comentador 'Abd al-Latif Hamza escreveu que "a luta contra os sionistas tornou a despertar em nossos corações a memória das cruzadas". A partir de 1948, o mundo muçulmano engajou-se num crescente reexame ativo da guerra medieval pela Terra Santa. A cultura arábico-islâmica já tem uma longa tradição – remetendo-se à Idade Média central e para além dela – de busca pelo aprendizado com o passado. Portanto, não é de surpreender que por todo o Oriente Próximo e Médio, estudiosos, teólogos e ativistas radicais agora tenham começado a refinar e afirmar seus próprios paralelos históricos; a atrelar a história das cruzadas a seus próprios propósitos.[40]

Os princípios do "paralelismo cruzado"

Este processo de apropriação histórica prossegue até hoje. O período cruzado já foi e ainda é excepcionalmente adequado às necessidades dos propagandistas islâmicos. Tendo terminado há quase oitocentos anos, os eventos precisos dessa era são suficientemente nebulosos para serem prontamente reformulados e manipulados: os "fatos" úteis podem ser selecionados; quaisquer detalhes desconfortáveis que não se correlacionam com uma determinada ideologia são facilmente descartados. As cruzadas também podem ser usadas para construir uma valiosa narrativa didática, pois encerram o ataque "ocidental" e a eventual vitória islâmica.

O papel de Jerusalém é igualmente crítico. Na realidade, a importância política e até devocional atribuída pelos muçulmanos à Cidade Santa variaram e oscilaram durante a Idade Média – da mesma forma que em séculos posteriores. Mas a luta medieval pelo domínio deste sítio ajuda os modernos ideólogos a cultivarem uma ideia de Jerusalém – e mais especialmente do *Haram as-Sharif*, ou Monte do Templo – como fortaleza inviolável da fé muçulmana.

Nos últimos sessenta anos, um grande número de grupos e indivíduos islâmicos, de políticos a terroristas, tem buscado estabelecer comparações entre o mundo moderno e as cruzadas medievais. Em termos de detalhe e ênfase existem importantes diferenças nas mensagens e ideias por eles propagadas, mas também existe uma subestrutura relativamente consistente sustentando todos os seus vários argumentos e dominada por duas ideias. A primeira é que o Ocidente, como poder colonial invasor, agora está cometendo crimes contra o mundo muçulmano, como fez novecentos anos atrás, recriando as cruzadas medievas na era moderna. Contudo, a criação de Israel, com o apoio do Ocidente, acrescentou um novo ingrediente à história. Na encarnação do século XX desta luta, não são apenas cruzados imperialistas, mas também judeus que estão buscando ocupar a Terra Santa. Juntos, eles parecem se juntar numa aliança "cruzado-sionista" contra o Islã. Os propagandistas buscam associar uma aura de credibilidade a esta estranha justaposição afirmando que Israel ocupa aproximadamente o mesmo território que o reino franco de Jerusalém. Em décadas recentes, contudo, o foco geográfico dessa ideologia se expandiu rapidamente. Novas intervenções ocidentais, notoriamente as conduzidas pelos americanos no Oriente Próximo e Médio, bem como na Ásia central, têm-se posicionado ao lado dos conflitos árabe-israelenses e o dilema dos palestinos, acrescentando-se aos crimes da chamada aliança "cruzado-sionista". Estes incluem as duas Guerras do Golfo, a luta contra o Talibã e a al-Qaeda no Afeganistão e o estacionamento, no território muçulmano sagrado da Arábia Saudita de tropas americanas, descritas por Osama bin Laden como "hostes cruzadas (que) se espalharam nela como gafanhotos".[41]

O segundo pilar do "paralelismo cruzado" relaciona-se com a suposta capacidade do Islã de aprender valiosas lições com a era medieval. Em 1963, o autor muçulmano Sa'id Ashur publicou uma *História das cruzadas*, em árabe e em dois volumes, onde afirma que a situação com que se defrontam os modernos muçulmanos era similar à da Idade Média, e, portanto, "estamos incumbidos de estudar o movimento das cruzadas detalhada e cientificamente". Numerosos ideólogos islâmicos têm procurado inspiração na guerra medieval pela Terra Santa. Alguns têm argumentado em favor da unificação do Islã, pela força se necessário, e a intransigente e incansável busca pela *jihad*, numa suposta imitação dos muçulmanos da Idade Média. Muitos propagandistas sugerem que o Islã deve se dispor a encarar pacientemente uma longa batalha – afinal, levou 88 anos para reclamar Jerusalém dos francos e quase dois séculos para destruir o Ultramar. De maneira crucial, os "heróis" muçulmanos da era cruzada também foram eleitos como exemplares – notadamente Saladino. Na verdade, durante o século XX, o sultão aiúbida tem sido amplamente transformado em mito, o campeão islâmico fundamental da guerra medieval pela Terra Santa. Saladino, e não o sultão Baybars, foi quem ganhou, então, o status de culto no mundo de língua árabe. A vitória que teve contra os cristãos ocidentais na Batalha de Hattin é reverenciada como uma das maiores da história muçulmana, e a subsequente recaptura de Jerusalém, assunto de intenso orgulho e celebração pan-islâmicos.[42]

O nacionalismo árabe e o islamismo

Diversos ideais têm sido construídos sobre duas bases: a ideia de uma renovada ofensiva cruzada e a necessidade de buscar instruções na Idade Média. Na realidade, o verdadeiro poder desta abordagem manipuladora do passado mostrou ser sua notável flexibilidade, pois os partidários de duas ideologias diametralmente opostas – o nacionalismo árabe e o islamismo – têm procurado, com igual entusiasmo, se apropriar da história das cruzadas.

Os preceitos do nacionalismo árabe sao de caráter essencialmente secular, defendendo a separação entre a autoridade espiritual e a temporal no Islã e advogando o governo dos estados árabes muçulmanos por líderes políticos, mas não religiosos. Assim, os líderes do nacionalismo árabe têm mostrado pouco interesse pelas cruzadas como guerras de religião, fixando-se, em vez disso, na noção de ameaça do imperialismo estrangeiro e o valor da propaganda em forjar comparações entre suas próprias vidas e as realizações de Saladino. Gamal Abdel Nasser, primeiro-ministro (e depois presidente) do Egito de 1954 a 1970, foi um dos primeiros proponentes da ideologia do nacionalismo árabe. Ele afirmava que a criação de Israel foi "um substituto das cruzadas", instituído quando "o imperialismo assinou um pacto com o sionismo". Nasser também fez repetidas tentativas de se ligar a Saladino. Não por coincidência o famoso épico "histórico" *Saladino* (1963), de Youseff Chahine – em sua época o filme árabe de orçamento mais elevado da história –, foi produzido no Egito, com um ator extraordinariamente parecido com Nasser.

Comentando o conflito árabe-israelense de 1981, o presidente da Síria Hafez al-Assad incentivou os muçulmanos a "se voltarem para a invasão dos cruzados. Embora eles tenham lutado contra nós por duzentos anos, não nos rendemos ou capitulamos". Assad também pousou como "o Saladino do século XX" e em 1992 erigiu uma grande estátua desse herói no coração de Damasco. O líder iraquiano árabe-nacionalista Saddam Hussein era ainda mais obcecado por Saladino. Convenientemente esquecendo a origem curda de Saladino, em vez disso, enfatizava que ambos nasceram no mesmo local – Tikrit. Saddam chegou ao cúmulo de ligar suas trajetórias: mandou estampar selos e cédulas iraquianas com seu rosto junto ao sultão; ordenou a produção de livros infantis em que ele próprio era denominado "o segundo Saladino";[43] ou mesmo nas várias estátuas colocadas nos jardins dos muitos palácios presidenciais, onde Saddam Hussein era representado com roupas como as usadas na época do sultão aiúbida. O islamismo é o oposto polar do nacionalismo árabe em termos de ideologia – desposando a noção de que o Islã deve ser governado como uma teocracia. Não obstante, os islamitas têm sido, quando muito, ainda mais estridentes em suas tentativas de estabelecer ligações espúrias entre as cruzadas medievais e o mundo moderno. De sua perspectiva espiritual, a propaganda islamista apresenta as cruzadas como agressivas guerras religiosas contra o *Dar al-Islam* (território islâmico), para as quais a única resposta só pode ser a violenta *jihad* física. Um dos mais influentes ideólogos islamistas, Sayyid Qutb (que foi executado no Egito por traição em 1966), descreveu o imperialismo ocidental como uma "máscara para o espírito cruzado", afirmando que ele "corre no sangue de todos os ocidentais". Ele também declarou que houve uma conspiração do "cruzadismo internacional" por trás das intervenções do Ocidente no Levante, citando a suposta referência de Allenby às cruzadas como prova. As ideias de esse ideólogo influenciaram muitas organizações islâmicas radicais, do Hamas ao Hezbollah. Mas no século XXI os mais perigosos proponentes deste tipo particular de extremismo foram Osama bin Laden e seu aliado Ayman al-Zawahiri – as principais vozes da rede terrorista conhecida como al-Qaeda. Sua retórica foi recheada com referências às cruzadas na sucessão de eventos de 2001. Quando, logo após o 11 de setembro, George W. Bush inadvertidamente escolheu caracterizar sua proposta "guerra ao terrorismo" como "cruzada" (um termo cuidadosamente evitado depois disso), ele simplesmente deu munição para a al-Qaeda. Realmente, no final de 2002, bin Laden fez uma declaração afirmando que "um dos importantes resultados positivos dos ataques a Nova York e Washington foi a revelação da verdade com relação ao conflito entre os cruzados e os muçulmanos (e) a força do ódio que os cruzados sentiam por nós". Então, em março de 2003, depois da invasão do Iraque comandada pelos Estados Unidos, bin Laden acrescentou: "A campanha sionista-cruzada contra (o Islã) hoje é mais perigosa e raivosa que nunca... (para aprendermos) a resistir a essas forças inimigas do exterior, devemos olhar para a guerra anterior dos cruzados contra nossos países". Esta propaganda inflamada e enganadora, baseada na manipulação da história, tem dado poucos sinais de que irá arrefecer.[44]

AS CRUZADAS NA HISTÓRIA

O "paralelismo cruzado" tem desempenhado um papel distinto na modelagem do mundo moderno – um papel que, em tempos recentes, tem sido amplamente mal compreendido. A manipulação da história e da memória da guerra pela Terra Santa começou com o romantismo do século XIX e o triunfalismo colonial do Ocidente. Ela tem sido perpetuada pela propaganda política e a invectiva ideológica no mundo muçulmano. O propósito de se identificar e examinar este processo não é ser leniente ou condenar as ideologias do imperialismo, do nacionalismo árabe ou do islamismo, mas de expor a crua simplicidade e a flagrante inexatidão dos paralelos "históricos" evocados em seu nome. As ressonâncias políticas, culturais e espirituais das distantes cruzadas têm sido manufaturadas por uma visão imaginária do passado; uma visão que se associa com a caricatura, a distorção e a fabricação, e não com as realidades da violência, diplomacia e comércio, inimizade e aliança recíprocas que jazem no coração das cruzadas.

É claro que a humanidade sempre mostrou uma tendência a deliberadamente distorcer a história. Mas os perigos que rondam o "paralelismo cruzado" já comprovaram ser particularmente intensos. Nos últimos dois séculos, uma narrativa falaciosa se impôs. Ela sugere que as cruzadas foram decisivas para a relação entre o Islã e Ocidente porque engendraram um senso profundamente enraizado e irrevogável de antipatia mútua, deixando essas duas culturas prisioneiras de uma guerra destrutiva e perpétua. Esta noção – de uma trilha direta e ininterrupta de conflito ligando as eras medieval e moderna – ajudou a cultivar uma aceitação disseminada, e quase fatalista, de que um choque titânico de civilizações é inevitável. Embora obscuras, brutais e até selvagens como foram em muitos momentos, as cruzadas não deixaram nenhuma marca permanente na sociedade cristã ocidental ou na muçulmana. Na verdade, a guerra pela Terra Salta havia sido esquecida no final da Idade Média, ressurgindo apenas séculos depois.

Talvez as cruzadas efetivamente nos digam ainda algo sobre o nosso mundo. A maioria (se não todas) de suas lições são comuns a outras eras da história humana. Estas guerras desnudaram o poder da fé e da ideologia de inspirar fervorosos movimentos de massa e evocar a discórdia violenta; elas afirmam a capacidade dos interesses comerciais de transcender as barreiras do conflito; e ilustram como a suspeita e o ódio pelo "outro" podem ser prontamente atrelados. Mas a noção de que a luta pelo domínio da Terra Santa – lançada pelos cristãos latinos e os muçulmanos levantinos tantos séculos atrás – tem, ou deveria ter, uma influência direta sobre o mundo moderno é equivocada. A realidade dessas guerras medievais deve ser explorada e entendida se as forças da propaganda forem abrandadas, e a incitação à hostilidade combatida. Mas as cruzadas também devem ser colocadas em seu devido lugar: no passado.

AGRADECIMENTOS

Tenho uma dívida de gratidão com todos os que me ajudaram durante os seis anos de pesquisa e escrita deste livro. Meus colegas do Departamento de História da Queen Mary University de Londres foram de um apoio maravilhoso o tempo todo, e gostaria de agradecer particularmente Virginia Davis, Julian Jackson, Peter Hennessy, Miri Rubin, Peter Denley, Yossi Rapoport, Dan Todman e Alice Austin. Meus alunos, não menos importantes de meu curso especial "A Primeira Cruzada" e dos Estudos cruzados do MA de Londres, também foram uma grande fonte de inspiração.

Peter Edbury teve a gentileza de ler o primeiro rascunho desta obra (quando era consideravelmente mais longa que agora!), e também me beneficiei enormemente da amizade e da ajuda oferecida por Sue Edgington e William Purkis. Andrew Gordon e John Saddler moldaram minha visão inicial do livro, enquanto a paciência e o incentivo de Mike Jones, da Simon & Schuster, Dan Halpern e Matt Weiland, da Ecco, permitiram que eu terminasse o projeto. O olho astuto de Sue Phillpott ajudou-me a refinar o texto, e sou especialmente grato a Katherine Stanton por sua criteriosa orientação editorial e o grande cuidado que tomou na preparação deste livro para a publicação. Meus agentes Peter Robinson e George Lucas foram sempre fontes inesgotáveis de apoio e conselho. As numerosas discussões do mundo cruzado que tive com Tony To, Don MacPherson e Kario Salem também ajudaram a me entusiasmar com minha ideia de perspectivas cambiantes entre o cristianismo e o Islã nesta obra.

Gostaria de expressar meus mais sinceros agradecimentos a todos que estiveram comigo nestes anos. A James Ellison, o melhor dos amigos e colegas; a John Hardy, um verdadeiro amigo em todas as épocas; a Steve Jones e Stuard Webber, que sempre souberam não perguntar como o livro ia indo; e a Robert e Maria Oram, Simon Bradley, Anthony Scott, Daniel Richards, Julie Jones e Lizzie Webber por seu apoio sempre seguro.

Também sou muitíssimo grato a minha família por seu incentivo, e gostaria de agradecer a Per Asbridge, Camilla Smith, Jane Campbell, Margaret Williams e Craig Campbell. Meus pais foram de uma enorme amabilidade, como sempre, e sem a ajuda deles teria sido impossível escrever este livro. No centro de minha vida, esse tempo todo, estiveram Christine e Ella, minha esposa e minha filha. Foram a paciência e o amor delas que me sustentaram, acima de qualquer outra coisa, e elas merecem os meus mais profundos agradecimentos.

Thomas Asbridge
West Sussex

CRONOLOGIA

27 de novembro de 1095	O sermão do papa Urbano II sobre a Primeira Cruzada em Clermont;
18 de junho de 1097	Niceia se entrega à Primeira Cruzada;
1º de julho de 1097	Batalha de Dorileia;
2 de junho de 1098	A Primeira Cruzada saqueia Antioquia;
28 de junho de 1099	Batalha de Antioquia contra Kerbogha de Mossul;
15 de julho de 1099	A Primeira Cruzada captura Jerusalém;
Maio de 1104	Batalha de Harã;
28 de junho de 1119	Rogério de Antioquia morto no Campo de Sangue;
Junho de 1128	Zengui assume o controle de Alepo;
Dezembro de 1144	Zengui conquista Edessa;
1º de dezembro de 1145	O papa Eugênio III proclama a Segunda Cruzada;
Setembro de 1146	Zengui assassinado; Nur al-Din assume o controle de Alepo;
Julho de 1148	Fracassa o cerco de Damasco pela Segunda Cruzada;
29 de junho de 1149	Batalha de Inab;
19 de agosto de 1153	Os latinos conquistam Ascalão;
Abril de 1154	Nur al-Din ocupa Damasco;
11 de agosto de 1154	Nur al-Din derrota os francos perto de Harim;
Março de 1169	Saladino assume o título de vizir do Egito;
Setembro de 1171	Abolido o califado fatímida do Egito;

15 de maio de 1174	Morte de Nur al-Din; em outubro Saladino assume o controle de Damasco;
25 de novembro de 1177	Batalha de Monte Gisard;
12 de junho de 1183	Saladino ocupa Alepo;
Maio de 1185	Morte do rei Balduíno IV de Jerusalém;
4 de julho de 1187	Batalha de Hattin;
2 de outubro 1187	Saladino retoma Jerusalém;
29 de outubro de 1187	O papa Gregório VIII convoca a Terceira Cruzada;
Novembro de 1187	Ricardo I, "Coração de Leão", aceita a cruz;
28 de agosto de 1189	Guy de Lusignan cerca Acre;
10 de junho de 1190	Morte de Frederico Barbarroxa na Ásia Menor;
8 de junho de 1191	Ricardo Coração de Leão chega a Acre;
12 de julho de 1191	A Terceira Cruzada ocupa Acre;
20 de agosto de 1191	Ricardo I executa prisioneiros muçulmanos no exterior de Acre;
7 de setembro de 1191	Batalha de Arsuf;
13 de janeiro de 1192	Ricardo I ordena a primeira retirada de Beit Nuba;
4 de julho de 1192	A Terceira Cruzada faz sua segunda retira de Beit Nuba;
2 de setembro de 1192	Tratado de Jafa finalizado;
4 de março de 1192	Morte de Saladino;
15 de agosto de 1198	O papa Inocêncio III convoca a Quarta Cruzada;
12 de abril de 1204	A Quarta Cruzada saqueia Constantinopla;
Novembro de 1215	O papa Inocêncio III preside o Quarto Concílio de Latrão;
5 de novembro de 1219	A Quinta Cruzada captura Damieta;
17 de março de 1229	Frederico II Hohenstaufen entra em Jerusalém;
11 de julho de 1244	Os corásmios saqueiam Jerusalém;
18 de outubro de 1244	Batalha de La Forbie;

4 de junho de 1249	O rei Luís IX chega ao Egito;
8 de fevereiro de 1240	Batalha de Al Mansurah;
Abril de 1250	Luís IX feito prisioneiro por Turan Xá;
Fevereiro de 1258	Os mongóis saqueiam Bagdá;
3 de setembro de 1260	Batalha de Ayn Jalut;
Junho de 1261	Baybars investido sultão mameluco;
19 de maio de 1268	Baybars saqueia Antioquia;
8 de abril de 1271	Os hospitalários entregam o Krak des Chevaliers a Baybars;
27 de abril de 1289	Calavuno captura Trípoli;
19 de maio de 1291	Os mamelucos conquistam Acre.

NOTAS

1   D. Ayalon, *Le phénomène mamelouk dans l'orient Islamique* (Paris, 1996); R. Amitai-Preiss, *Mongols and Mamluks: The Mamluk-Ilkanid War, 1260-1281* (Cambridge, 1995). O estudo clássico da carreira de Baybar é: P. Thorau, *The Lion of Egypt: Sultan Baybars I and the Near East in the Thirteenth Century*, trans. P. M. Holt (Londres, 1992). Ver também: A. A. Khowaiter, *Baybars the First* (Londres, 1978). Para uma tradução em inglês de excertos da biografia de Baybars por Ibn 'Abd al-Zahir, ver: S. F. Sadaque, *The Slave King: Baybars I of Egypt* (Dacca, 1956). D. P. Little, *An Introduction to Mamluk Historiography* (Montreal, 1970); P. M. Holt, 'Three biographies of al-Zahir Baybars', *Medieval Historical Writing in the Christian Worlds*, ed. D. Morgan (Londres, 1982), pp. 19-29; P. M. Holt, 'Some observations on Shafi' b. ibn 'Ali's biography of Baybars', *Journal of Semitic Studies*, vol. 29 (1984), pp. 123-30; Y. Koch, 'Izz al-Din ibn Shaddad and his biography of Baybars', *Annali dell'Istituto Universitario Orientale*, vol. 43 (1983), pp. 249-87.

2   D. Morgan, *The Mongols*, 2nd edn (Oxford, 2007); J.-P. Roux, *Genghis Khan and the Mongol Empire* (Londres, 2003); P. Jackson, *The Mongols and the West, 1221-1410* (Harlow, 2005); J. Richard, *La papauté et les missions d'Orient au Moyen Âge* (Rome, 1977); J. D. Ryan, 'Christian wives of Mongol khans: Tartar queens and missionary expectations in Asia', *Journal of the Royal Asiatic Society*, 3rd series, vol. 8.3 (1998), pp. 411-21; P. Jackson, 'Medieval Christendom's encounter with the alien', *Historical Research*, vol. 74 (2001), pp. 347-69.

3   D. Morgan, 'The Mongols in Syria, 1260-1300', *Crusade and Settlement*, ed. P. W. Edbury (Cardiff, 1985), pp. 231-5.

4   P. Jackson, 'The crisis in the Holy Land in 1260', *English Historical Review*, vol. 95 (1980), pp. 481-513; Amitai-Preiss, *Mongols and Mamluks*, pp. 26-48; J. M. Smith, 'Ayn Jalut: Mamluk success or Mongol failure', *Harvard Journal of Asiatic Studies*, vol. 44 (1984), pp. 307-47; P. Thorau, 'The battle of Ayn Jalut: A re-examination', *Crusade and Settlement*, ed. P. W. Edbury (Cardiff, 1985), pp. 236-41.

5   Thorau, *The Lion of Egypt*, pp. 75-88.

6   Thorau, *The Lion of Egypt*, pp. 91-119.

7   Hillenbrand, *The Crusades: Islamic Perspectives*, pp. 225-46; D. P. Little, 'Jerusalem under the Ayyubids and Mamluks 1197-1516 AD', *Jerusalem in History*, ed. K. J. Asali (Londres, 1989), pp. 177-200.

8   Thorau, *The Lion of Egypt*, pp. 103-5.

9   P.M. Holt, 'The treaties of the early Mamluk sultans with the Frankish states', *Bulletin of the School of Oriental and African Studies*, vol. 43 (1980), pp. 67-76; P.M. Holt, 'Mamluk-Frankish diplomatic relations in the reign of Baybars', *Nottingham Medieval Studies*, vol. 32 (1988), pp. 180-95; P. M. Holt, *Early Mamluk Diplomacy* (Leiden, 1995).

10 D. Ayalon, 'Aspects of the Mamluk phenomenon: Ayyubids, Kurds and Turks', *Der Islam*, vol. 54 (1977), pp. 1-32; D. Ayalon, 'Notes on Furusiyya exercises and games in the Mamluk sultanate', *Scripta Hierosolymitana*, vol. 9 (1961), pp. 31-62; H. Rabie, 'The training of the Mamluk Faris', *War, Technology and Society in the Middle East*, ed. V. J. Parry and M. E. Yapp (Londres, 1975), pp. 153-63.

11 O sultão também tentou, mas não conseguiu, montar uma cavalaria de elefantes. Foram feitos esforços para construir uma armada mameluca – já que o Islã tinha gozado de pouca ou nenhuma presença no Mediterrâneo desde a Terceira Cruzada –, mas os navios de Baybars parecem ter sido mal projetados, e a maioria afundou durante um posterior assalto a Chipre.

12 Thorau, *The Lion of Egypt*, p. 168.

13 'Les Gestes des Chiprois', *Recueil des historiens des croisades, Documents arméniens*, vol. 2, ed. Académie des Inscriptions et Belles-Lettres (Paris, 1906), p. 766. This text is translated in: P. Crawford (trans.), *The 'Templar of Tyre': Part III of the 'Deeds of the Cypriots'* (Aldershot, 2003).

14 Ibn 'Abd al-Zahir, *Arab Historians of the Crusades*, trans. F. Gabrieli (Londres, 1969), pp. 310-12.

15 William of Saint-Parthus, *Vie de St Louis*, ed. H.-F. Delaborde (Paris, 1899), pp. 153-5.

16 Ibn al-Furat, *Arab Historians of the Crusades*, trans. F. Gabrieli (Londres, 1969), p. 319.

17 S. Lloyd, 'The Lord Eduardo's Crusade, 1270-72', *War and Government: Essays in Honour of J. O. Prestwich*, ed. J. Gillingham and J. C. Holt (Woodbridge, 1984), pp. 120-33; Tyerman, *England and the Crusades*, pp. 124--32.

18 Thorau, *The Lion of Egypt*, pp. 225-9, 235-43.

19 L. Northrup, *From Slave to Sultan: The Career of al-Mansur Qalawun and the Consolidation of Mamluk Rule in Egypt and Syria (678-689 A.H./1279-1290 A.D.)* (Stuttgart, 1998); P. M. Holt, 'The presentation of Qalawun by Shafi' b. ibn 'Ali', *The Islamic World from Classical to Modern Times*, ed. C. E. Bosworth, C. Issawi, R. Savory and A. L. Udovitch (Princeton, 1989), pp. 141-50.

20   Amitai-Preiss, *Mongols and Mamluks*, pp. 179-201.

21   Richard, *The Crusades*, pp. 434-41; P. M. Holt, 'Qalawun's treaty with the Latin kingdom (682/1283): negotiation and abrogation', *Egypt and Syria in the Fatimid, Ayyubid and Mamluk Eras*, ed. U. Vermeulen and D. de Smet (Leiden, 1995), pp. 325-34.

22   Abu'l Fida, *Arab Historians of the Crusades*, trans. F. Gabrieli (Londres, 1969), p. 342; R. Irwin, 'The Mamluk conquest of the county of Tripoli', *Crusade and Settlement*, ed. P. W. Edbury (Cardiff, 1985), pp. 246-50.

23   Richard, *The Crusades*, pp. 463-4.

24   Abu'l Fida, *Arab Historians of the Crusades*, pp. 344-5; 'Les Gestes des Chiprois', p. 811; D. P. Little, 'The fall of 'Akka in 690/1291: the Muslim version', *Studies in Islamic History and Civilisation in Honour of Professor David Ayalon*, ed. M. Sharon (Jerusalem, 1986), pp. 159-82.

25   Abu l-Mahasin, *Arab Historians of the Crusades*, trans. F. Gabrieli (Londres, 1969), p. 347; 'Les Gestes des Chiprois', pp. 812, 814; Abu'l Fida, *Arab Historians of the Crusades*, p. 346.

26   Abu l-Mahasin, *Arab Historians of the Crusades*, p. 349; 'Les Gestes des Chiprois', p. 816; J. Delaville le Roulx (ed.), *Cartulaire général de l'ordre des Hospitaliers 1100-1310*, vol. 3 (Paris, 1899), p. 593; Abu'l Fida, *Arab Historians of the Crusades*, p. 346.

27   M. Barber, *The Trial of the Templars* (Cambridge, 1978); N. Housley, 'The Crusading Movement, 1274-1700', *The Oxford Illustrated History of the Crusades*, ed. J. S. C. Riley-Smith (Oxford, 1995), pp. 260-93; N. Housley, *The Later Crusades* (Oxford, 1992).

28   E. Siberry, *Criticism of Crusading, 1095-1274* (Oxford, 1985). Os historiadores ainda têm que demonstrar que a guerra durante a era das cruzadas era ou não incomumente violenta ou extrema em comparação com outros conflitos medievais. Esta é uma área fundamental de pesquisa em que maiores estudos são urgentemente necessários.

29   Para uma leitura acessível para se colocar a cruzada no contexto mais amplo das relações entre cristãos e muçulmanos, ver: R. Fletcher, *The Cross and the Crescent* (Londres, 2003).

30   Hillenbrand, *The Crusades: Islamic Perspectives*, pp. 257-429; Housley, *Contesting the Crusades*, pp. 144-66; C. J. Tyerman, *Fighting for Christendom: Holy War and the Crusades* (Oxford, 2004), pp. 79-92, 155-70.

31   C. J. Tyerman, 'What the crusades meant to Europe', *The Medieval World*, ed. P. Linehan and J. L. Nelson (Londres, 2001), pp. 131-45; Tyerman, *Fighting for Christendom*, pp. 145-54.

32   J. S. C. Riley-Smith, 'Islam and the crusades in history and imagination, 8 November 1898-11 September 2001', *Crusades*, vol. 2 (2003), p. 166.

33 Constable, 'The Historiography of the Crusades', pp. 6-8; Tyerman, *The Invention of the Crusades*, pp. 99-118.

34 Hillenbrand, *The Crusades: Islamic Perspectives*, pp. 589-600; R. Irwin, 'Islam and the Crusades, 1096-1699', *The Oxford Illustrated History of the Crusades*, ed. J. S. C. Riley-Smith (Oxford, 1995), pp. 217-59.

35 E. Siberry, 'Images of the crusades in the nineteenth and twentieth centuries', *The Oxford Illustrated History of the Crusades*, ed. J. S. C. Riley-Smith (Oxford, 1995), pp. 365-85; E. Siberry, *The New Crusaders: Images of the Crusades in the Nineteenth and Early Twentieth Centuries* (Aldershot, 2000); E. Siberry, 'Nineteenth-century perspectives on the First Crusade', *The Experience of Crusading, 1. Western Approaches*, ed. M. G. Bull and N. Housley (Cambridge, 2003), pp. 281-93; R. Irwin, 'Saladin and the Third Crusade: A case study in historiography and the historical novel', *Companion to Historiography*, ed. M. Bentley (Londres, 1997), pp. 139-52; M. Jubb, *The Legend of Saladin in Western Literature and Historiography* (Lewiston, 2000).

36 Riley-Smith, 'Islam and the crusades in history and imagination', pp. 155-6. Este desejo de se reconectar com o passado medieval encontrou expressão maior em Versalhes, fora de Paris. O rei Luís Filipe da França dedicou cinco salas – as *Salles des Croisades* – desse palácio a pinturas monumentais representando cenas das guerras santas. Os nobres franceses com um histórico familiar de cruzada podiam expor seus brasões de armas nessas salas, e 316 emblemas pendiam originalmente das paredes quando as *Salles* foram abertas em 1840. Contudo, protestos veementes contra a exclusão fizeram que elas fossem fechadas quase imediatamente por mais três anos. Isto propiciou um furioso comércio de documentos falsos que tentavam comprovar certas linhagens cruzadas, e que foram fornecidos (por um preço módico) por um grande oportunista chamado Eugène-Henri Courtois. Essas falsificações só foram detectadas em 1956.

37 Siberry, 'Images of the crusades in the nineteenth and twentieth centuries', pp. 366-8, 379-81; Riley-Smith, 'Islam and the crusades in history and imagination', pp. 151-2; J. Richard, 'National feeling and the legacy of the crusades', *Palgrave Advances in the Crusades*, ed. H. Nicholson (Basingstoke, 2005), pp. 204-22.

38 Siberry, 'Images of the crusades in the nineteenth and twentieth centuries', pp. 382-5.

39 E. Sivan, 'Modern Arab Historiography of the Crusades', *Asian and African Studies*, vol. 8 (1972), p. 112; Hillenbrand, *The Crusades: Islamic Perspectives*, pp. 590-92; Riley-Smith, 'Islam and the crusades in history and imagination', p. 155.

40 Sivan, 'Modern Arab Historiography of the Crusades', pp. 112-13.

41 B. Lewis, 'License to Kill: Usama bin Ladin's Declaration of *Jihad*', *Foreign Affairs* (November/December 1998), p. 14.

42 Sivan, 'Modern Arab Historiography of the Crusades', p. 114; Hillenbrand, *The Crusades: Islamic Perspectives*, pp. 592-600.

43 E. Karsh, *Islamic Imperialism* (Londres, 2006), pp. 134-5; U. Bhatia, *Forgetting Osama bin Munqidh, Remembering Osama bin Laden: The Crusades in Modern Muslim Memory* (Singapore, 2008), pp. 39-40, 53.

44 Hillenbrand, *The Crusades: Islamic Perspectives*, pp. 600-602; Bhatia, *Forgetting Osama bin Munqidh, Remembering Osama bin Laden*, pp. 23, 52-3.

Compartilhando propósitos e conectando pessoas
Visite nosso site e fique por dentro dos nossos lançamentos:
www.novoseculo.com.br

- facebook/novoseculoeditora
- @novoseculoeditora
- @NovoSeculo
- novo século editora

Edição: 1
Fonte: Arno Pro

gruponovoseculo
.com.br